BLITS

Fy Hanes i

BLITS

Dyddiadur Edie Benson, Llundain 1940-1941

Vince Cross

Addasiad
Eigra Lewis Roberts

GOMER

Argraffiad Cymraeg cyntaf – 2002

ISBN 1 84323 135 2

Teitl gwreiddiol: *Blitz*

Er fod y digwyddiadau a rhai o'r cymeriadau yn y llyfr hwn yn seiliedig ar ddigwyddiadau hanesyddol a phobl go iawn, cymeriad ffuglennol yw Edie Benson, a grëwyd gan yr awdur, felly hefyd ei dyddiadur a'r ôl-nodyn.

Cyhoeddwyd gyntaf gan Scholastic Children's Books,
Commonwealth House, 1-19 New Oxford Street,
Llundain WC1A 1NU

Cyhoeddwyd dan gynllun comisiynu
Cyngor Llyfrau Cymru.

Dymuna'r cyhoeddwyr gydnabod cymorth
Adrannau Cyngor Llyfrau Cymru.

Argraffwyd gan
Wasg Gomer, Llandysul, Ceredigion SA44 4QL

Lewisham, Llundain,
1940

Dydd Sadwrn, Gorffennaf 20, 1940

Mi neidiais allan o 'nghroen pan ddechreuodd y seiren cyrch awyr oernadu neithiwr. Ro'n i yn yr ardd yn hel pys pêr i Mam ac mi fu ond y dim i mi ollwng y cwbwl. Roedd hi'n boeth iawn, hyd yn oed am saith o'r gloch, heb yr un awel o wynt, y math o dywydd sydd wastad yn gwneud i chi deimlo fod rhywbeth ar fin digwydd.

Roedd Mam yn dweud amser te fod yna drafod mawr yn y siopau yn ystod y bore, a phawb i weld wedi cynhyrfu'n arw. Fe wyddai rhai i sicrwydd fod yr Almaenwyr yn mynd i ymosod yn ystod y penwythnos ac y bydden nhw yn Llundain erbyn dydd Llun os na fyddai'n bechgyn ni o gwmpas eu pethau. On'd oes yna ryw sibrydion i'w clywed o hyd? Mae'n anodd gwybod pwy i'w gredu.

P'run bynnag, fe waeddodd Mam arna i o'r gegin i ddod i mewn ar unwaith, a sŵn dychryn yn ei llais. Do'n i ddim am ddadlau. Er na allwn i weld na chlywed yr un awyren fomio, dydw i erioed wedi bod mewn cyrch awyr. Faint o amser sydd yna rhwng clywed awyren fomio yn hedfan dros y tŷ a bom yn disgyn a'ch chwythu chi'n ddarnau?

Fel ro'n i'n dringo'r stepiau i'r tŷ, mi allwn i weld yr hen Mrs Andrews drws nesaf. Roedd hi'n cerdded mewn cylch o gwmpas ei chadach poced o lawnt, yn edrych i fyny i'r awyr ac yn siglo'i bys fel petai hi'n rhoi pryd o dafod i rywun. I Duw ynteu i'r Almaenwyr? Pwy ŵyr?

Fe allen ni ddal i'w chlywed hi o'r gegin, a'r mwmblan yn troi'n weiddi.

'Mae hi'n gofyn am gael ei lladd, ydi wir,' meddai Mam, yn swnio'n flin ac yn bryderus. 'Mae'r ddynas yn wirion bost! Be goblyn mae hi'n drio'i 'neud?' A dyna hi'n fy ngwthio i am y cyntedd. 'Dos di o dan y grisiau 'na, reit sydyn, tra bydda i'n setlo Bessie. Fel 'tasa bywyd ddim digon anodd fel mae hi!'

Rydan ni'n aros am gwt mochel go iawn i'w roi yn yr ardd. Mae'r Cyngor yn mynd i ddanfon un yr wythnos yma. Tan hynny, mae'n rhaid i ni wneud y tro ar swatio o dan y grisiau neu fwrdd y gegin. Dydw i'n gweld dim synnwyr yn y peth, ond mae Mam yn mynnu ei fod o'n well na dim.

Wnes i ddim fel roedd Mam yn gofyn. Ro'n i am weld be oedd yn digwydd. Mi gwyliais i hi'n rhedeg i lawr llwybr yr ardd, drwy'r giât gefn, ac i dir anial Bessie Andrews.

Roedd yr hen Bessie yn crwydro o gwmpas, ar goll yn ei byd bach ei hun. Fyddai waeth i Mam heb fod yno ddim. Fe geisiodd Mam siarad yn glên efo hi, a phan fethodd hynny dyna hi'n gafael yn Bessie gerfydd ei hysgwyddau a rhoi ysgytwad fach iddi. Fe dynnodd yr hen wraig ei hun yn rhydd a syllu'n hurt arni, fel petai hi'n credu mai Mam oedd yn colli arni'i hun. Mi ddaliais i f'anadl, a meddwl tybed be wnawn i petai Bessie'n dechrau taro Mam. Ond torri allan i feichio crio wnaeth hi, a sgrialu i'r tŷ at ei thair ar ddeg o gathod. Fel dwedodd Mam, dydi hi ddim hanner call!

Gan ei bod hi'n nos Wener, a Dad yn gweithio shifft ychwanegol yn yr Orsaf Dân, doedd yna neb gartref ond Mam a fi, a dyna ni'n swatio o dan y grisiau yn gwrando ar y weiarles nes i'r caniad diogelwch seinio, chwarter awr yn ddiweddarach. Codi ofn ar rywun heb fod angen, unwaith eto!

Dydd Llun, Gorffennaf 22

Wedi i Shirl, fy chwaer, sleifio allan i'r gwaith y bore 'ma, mi arhosais i'n y gwely am hanner awr arall. Er bod yr adar yn trydar yn hapus yn y goeden y tu allan i ffenestr y llofft, ro'n i'n teimlo'n sobor o ddigalon. Mae 'na rywbeth o'i le mewn cael awyr las ddigon o ryfeddod ac adar bronfraith yn canu nerth eu pennau pan mae llongau'n cael eu suddo a phobl yn saethu'i gilydd.

Rŵan fod Maggie wedi mynd, does gen i neb ar ôl i sgwrsio efo hi. Alison oedd yr un gyntaf i adael, yn ôl ym mhanig mis Medi. Cafodd amryw o 'nosbarth i eu hanfon i Bexhill yn Sussex yr adeg honno. Mae Mam yn methu deall pam eu bod nhw'n credu ei bod hi'n ddiogelach yno. Os ydi'r Almaenwyr am ymosod, dyna'r lle cyntaf y byddan nhw'n debygol o lanio. Yna, ym mis Mai, fe aeth rhieni Betty yn nerfau i gyd a'i phacio hi i ffwrdd at ei Modryb Sally yn Nyfnaint.

Maggie ydi fy ffrind gorau i. Roedd hi wastad yn mynnu na fyddai ei theulu byth yn ei hanfon hi i ffwrdd. Ond ddydd Gwener diwetha dyna hi'n dweud yn ddidaro ei bod hi ar gychwyn am Northampton, does wybod tan pryd. Fyddai waeth iddi fod yn mynd i'r lleuad ddim, o'm rhan i. Felly, dyma fi yma ar fy mhen fy hun bach, yn teimlo'n ddiflas ac yn unig, er bod yr awyr yn rhyfeddol o las a digwmwl. A dyna pam fy mod i wedi penderfynu cadw dyddiadur, am y tro cyntaf erioed. Gan nad oes gen i'r un dyddiadur iawn mi fydd raid i hen lyfr ysgrifennu wneud y tro. Yn hwn, rydw i am ddweud yn union be ydw i'n ei feddwl o'r rhyfel ofnadwy a dychrynllyd 'ma. Os nad ydi Mags, Alison a Betty ar gael i siarad efo nhw, o leia mi fydd cael rhoi fy meddyliau a 'nheimladau mewn geiriau'n rywfaint o help.

Dydd Mawrth, Gorffennaf 23

Cyn i mi wneud hynny, mi fyddai'n well i mi sôn rywfaint am y teulu a lle'r ydan ni'n byw. Mi ddechreua i efo'r tŷ, ac mi gaiff y bobl aros am funud.

Mae Ffordd Summerfield ryw dri-chwarter milltir o ganol tref Lewisham, ac rydan ni'n byw yn rhif 47. Dim ond tai teras sydd i'w cael o gwmpas, ac mae'n siŵr nad ydi'n stryd ni ond fel pob un arall, er mai hon ydi'r orau gen i. Mae yna goed yn tyfu ar hyd ochor y ffordd, ac mae'n ddigon hawdd 'nabod tŷ ni gan fod y giât wedi'i pheintio'n wyrdd llachar, hoff liw Dad.

Yn y cefn, mae yna lond y lle o flodau a llysiau mewn gardd sy'n disgyn rhyw dri deg llath heibio i'r sièd i lawr llethr serth at y rheilffordd. Bob chwarter awr yn ystod y dydd mi fydd trên trydan yn clecian ei ffordd i Charing Cross. Gorsaf fawr ydi honno, reit yng nghanol Llundain, wyth milltir i ffwrdd. Rydan ni'n lwcus, Shirl a fi, o gael llofft ym mlaen y tŷ. Mae llofft y bechgyn yn y cefn yn rhy swnllyd o lawer oherwydd clecian di-baid y trenau.

Mi fydda i'n meddwl yn aml tybed sut le oedd hwn pan oedd 'cae haf' go iawn lle mae'n tŷ ni heddiw. Mae'n rhyfedd meddwl am wartheg a defaid yn pori yn ein gardd gefn daclus ni. Efallai mai dyna pam mae pob dim yn tyfu cystal. Yr holl dail yna!

Mae Shirley, neu Shirl fel mae pawb yn ei galw hi, lawer hŷn na fi. Dwy ar bymtheg oed, a braidd yn llawn ohoni'i hun, er bod hwyl i'w gael efo hi weithiau. Ac ystyried ein bod ni'n gorfod rhannu, dydi hi ddim yn mynd ormod ar fy nerfau i. Mae hi'n gweithio ar y cownter defnyddiau yn siop Chiesman yng nghanol Lewisham, ac mae hynny'n ddefnyddiol i ni'r Bensons.

Fy mrawd bach i ydi Tom. Mae o'n ddeg oed, bron i ddwy flynedd yn iau na fi. All Tom ddim aros yn llonydd am eiliad, ac mae yna bob amser stremp o faw ar ryw ran o'i gorff. Yn wahanol i mi, fydd Tom byth yn darllen llyfrau ond o raid. Does yna ddim mwy i'w ddweud amdano, am wn i. Bachgen ydi o!

Pan oedd Frank a Maureen adref, ro'n i'n gorfod rhannu efo Tom. Ond er mor ofnadwy oedd hynny, efo O fawr, mi fyddai'n well gen i gael Frank yn ôl. Rydan ni i gyd yn gweld ei golli'n sobor. Rydw i'n poeni yn ei gylch drwy'r amser, a Mam a Dad hefyd. Mae o'n gweithio fel un o griw'r Maes Awyr Brenhinol yn Biggin Hill. Er bod pawb yn dweud ei bod hi'n swydd braf ac y bydd Frank yn ddigon diogel, be wyddan nhw? Rydw i'n siŵr fod yr Almaenwyr yn mynd i geisio bomio'r llwybrau glanio a'r awyrennau mae Frank yn gofalu amdanyn nhw. Mae peilotiaid yr RAF yn cael eu lladd bob dydd rŵan.

Frank ydi'r hynaf ohonon ni'r Bensons. Maureen sy'n dod nesaf ac mae hi'n un ar hugain oed, ond dydan ni'n clywed fawr ddim oddi wrthi gan ei bod hi efo'r fyddin i fyny'n y gogledd mewn rhyw wersyll hyfforddi. Pan fydd hi'n dod adref, unwaith pob lleuad lawn, mae hi'n edrych yn smart iawn yn ei dillad caci, ond wn i ddim be mae hi'n ei wneud. Dydan ni'n dwy erioed wedi bod yn agos. Mi fydd Frank yn dod ag anrheg i mi bob tro y bydd o'n galw, 'tai o'n ddim ond hen gomic, ond fydd Mo byth yn cymryd unrhyw sylw ohona i. Rioed wedi gwneud!

Mr Albert Benson ydi enw Dad, ac mae o'n grêt. Bert fydd y rhan fwya'n ei alw. Mae o'n fawr a chryf fel y dylai dyn tân fod. Anamal iawn y bydd o'n gwylltio (a byth efo fi) er bod Mam yn gwneud i fyny am hynny. Mae hi'n glên yn y bôn, ond yn cuddio hynny drwy weiddi. Rydw i'n credu ei bod hi'n poeni dros ormod o bobl, ond efallai mai ei gwallt coch hi sy'n gyfrifol. Beatrice ydi'i henw hi, sy'n swnio braidd yn henffasiwn i mi. Ond fyddwn i ddim yn meiddio dweud hynny wrthi.

A dyna fi wedi dweud y cwbwl am y tŷ a'r teulu. O, mi fuo ond y dim i mi ag anghofio amdana i fy hun. Edith ydi f'enw iawn i (ych a fi!), ond Edie fydd pawb yn fy ngalw i.

O.N. Rhaid i mi beidio anghofio Chamberlain, ein

daeargi ni. Mi wn i ei fod o'n enw digri ar gi, ond mae Dad yn dweud iddo gael ei alw'n hynny am ei fod o bob amser yn obeithiol, yn union fel yr hen Brif Weinidog, Mr Neville Chamberlain, oedd yn credu bod modd cymodi efo'r Almaenwyr. Fo oedd yr un ddaeth o flaen Mr Churchill. Mae Chamberlain ni yn cael ei siomi fel arfer, hefyd! Pe baen ni'n cael ci tarw rywdro, mae'n siŵr mai Churchill fyddai enw hwnnw. Mi fedrwch chi ddweud, dim ond wrth edrych ar wyneb Mr Churchill, na fydd o'n barod i gymryd unrhyw lol gan y Jeris 'na.

Dydd Iau, Gorffennaf 25

Dydi'r ardd braf yng nghefn y tŷ ddim hanner mor ddel a thaclus ag oedd hi ddeuddydd yn ôl.

Fe ddaeth Frank adref ar seibiant brynhawn ddoe. Mae ganddo foto-beic yn Biggin Hill, ac fe gafodd afael ar betrol, er nad ydi hynny'n cael ei ganiatáu o ddifri, oherwydd y dogni. Roedd o'n edrych ddigon o ryfeddod yn ei iwnifform, er na adawodd Dad iddo'i gwisgo hi am fwy na dau funud. Prin bod Frank wedi camu drwy'r drws ffrynt nad oedd y ddau ohonyn nhw yn yr ardd yn cloddio twll i'r cwt mochel newydd. Mi fyddwn ni'n ddiogel rŵan, beth bynnag fydd gorchymyn Hitler i'w fomwyr!

Roedd Dad yn teimlo braidd yn ddiflas pan gafodd wybod ei fod o'n gorfod talu am ein diogelwch ni. Saith bunt, dyna faint gostiodd y cwt iddo fo a hynny, i bob golwg, am ei fod o'n cael gormod o gyflog. Dyna'r tro cyntaf i mi glywed y fath beth! Mae'r rhan fwyaf o bobl y stryd wedi cael eu rhai nhw am ddim. Anderson Shelter ydi'r enw iawn ar y cwt mochel, ar ôl y dyn wnaeth ei ddyfeisio, ond y peth cyntaf sydd raid ei wneud ydi cloddio twll ar ei gyfer.

Welais i erioed dwll mor fawr. Pan ddwedais i ei fod yn edrych fel pe baen nhw'n torri twnnel i Awstralia, ateb Frank oedd ei fod o'n teimlo felly, hefyd. Mae'r twll yn dair troedfedd o ddyfnder, ac yn gorfod bod yn ddigon hir a llydan, wrth gwrs, i ni i gyd allu eistedd y tu mewn. Fe folltiodd Dad a Frank y darnau sinc yn ei gilydd i wneud y to a'r ochrau, ac yna pentyrru'r pridd yn ôl ar ben y cwbwl, fel bod yno ddigon o ddyfnder i allu tyfu riwbob. Mae Dad yn dweud mai dyna ydan ni am ei wneud. Dychmygwch dreulio'r nos o dan lwyn o riwbob! Mi fyddai rhywun yn meddwl mai teulu o gwningod ydan ni – ond mi fyddwn ni'n gwningod saff, o leia! Wedi iddyn nhw orffen, fe oleuodd Tom a finna gannwyll, a chripian i mewn. Roedd y lle'n oer ac yn ddigon i godi ofn ar rywun, ond mae'n debyg na fydd o ddim mor ddrwg pan fyddwn ni i gyd yno efo'n gilydd.

Mae'n rhaid fy mod i'n un dwp, yn sôn am bawb arall o'r teulu heb ddweud dim amdana i fy hun. Rydw i'n dalach na'r rhan fwyaf o'r un oed â fi (yn bum troedfedd, tair modfedd), ac yn denau. Yn yr haf, mae fy wyneb i'n llanast o frychni haul. Mae Mam yn dweud fod yna ddigon o allu yna' i pe bawn i ond yn rhoi fy meddwl ar waith, ond wn i ddim am hynny. Rydw i'n ddigon tebyg i Shirl, ond dydw i ddim yn credu y bydda i byth cyn ddeled â hi (er ei bod hi wrthi am hydoedd yn peintio'i hwyneb!) Rydw i'n hoffi darllen a mynd i'r pictiwrs, ac yn un dda am chwarae pêl-rwyd. Mi alla i chwarae pêl-droed gystal â Tom, hefyd, ond fiw i mi ddweud hynny wrtho fo. Alla i ddim dioddef pwdin reis, ac mae hynny'n biti gan fod Mam yn gwneud un i ginio bob dydd Sul. Dim ond pwll o lefrith a darnau'n nofio o gwmpas ynddo fo. Ych!

Dydd Sadwrn, Gorffennaf 27

Mae Mam wedi bod ar bigau drain ers i Frank alw yma. Mi daliais i hi'n hel meddyliau yn y gegin wedi iddo fo ruo i lawr y ffordd am Bromley. Poeni ynglŷn â'r hyn roedd Frank wedi bod yn ei ddweud wrthi oedd hi, meddai hi.

Yn ôl pob sôn, mae un o awyrennau'r Almaen yn hedfan uwchben Kent bob dydd ar hyn o bryd, yn ceisio tynnu lluniau. Mae Frank yn dweud y byddan nhw'n ceisio chwythu'r meysydd awyr i fyny, yn hwyr neu'n hwyrach, ac yna'n dechrau gollwng bomiau ar Lundain.

Mae adeiladu'r Anderson wedi gwneud i bob dim ymddangos gymaint yn fwy real. Mae Dad yn cymryd y cwbwl fwy o ddifri, hefyd. Fe wnaeth i Tom a fi ymarfer gwisgo'r mygydau nwy neithiwr, rhag ofn i Hitler roi nwy gwenwynig yn y bomiau. Pan fyddwch chi'n edrych yn y drych, fe allech chi daeru fod yna ryw anghenfil neu greadur o'r gofod yn rhythu'n ôl arnoch chi.

Ar ôl iddi dywyllu, fe roeson ni brawf ar y cwt mochel. Roedd Dad wedi ei wneud mor gyfforddus ag sy'n bosibl efo darn o hen garped wedi'i osod ar y planciau, ond mae'r lle'n oer ac yn damp, hyd yn oed ar noson sych, braf o Orffennaf. Sut bydd hi yno ar dywydd garw neu ganol gaeaf, tybed? Newydd gyrraedd yr oedden ni pan benderfynodd Tom ei fod eisiau mynd i'r tŷ bach. Dyna Mam yn clecian ei thafod ac yn dweud y dylai fod wedi meddwl am hynny'n gynt. Digon teg, ond beth pe baen ni yno am oriau, a'r bomiau'n disgyn? Be wedyn? Rhedeg am y tŷ a gwneud be sydd raid ei wneud gynted ag y gallwn ni, mae'n debyg. Fydd gan Dad ddim amser i ddarllen ei bapur newydd, yn ôl ei arfer!

Dydd Mawrth, Gorffennaf 30

Dyma beth ydi digywilydd-dra! Mi wn i fod Mr Churchill, y Prif Weinidog, wedi dweud y dylen ni ym Mhrydain fynd ati i dyfu rhagor o fwyd, ond mae ceibio parc Lewisham yn mynd â'r '*dig for victory*' braidd yn rhy bell! Lle ca' i fynd â Chamberlain am dro rŵan?

Mi ddwedais i wrth Dad na fedrwn i weld be oedd diben gwneud hynny, gan ei bod hi'n rhy hwyr yn y flwyddyn i blannu dim. Roedd o'n meddwl mai'r syniad ydi rhannu'r lle yn glytiau o dir a chael pawb i dyfu bresych. Ardderchog! Mi fydd y parc nid yn unig yn edrych yn hyll, ond mi fydd yn drewi hefyd. Dydi hyn ddim yn deg!

Mae Shirl wedi cael cariad o'r diwedd, mi dw i'n siŵr o hynny. Os nad ydi hi, pwy oedd y boi yna ddaeth i'w danfon hi adref o'i gwaith neithiwr?

Dydd Gwener, Awst 2

Fe ddigwyddodd y peth rhyfeddaf ddoe, digon i godi ofn ar rywun. Mae'n dechrau nosi ychydig yn gynt erbyn hyn, a phan es i i'r gwely tua naw o'r gloch roedd hi'n rhy dywyll i ddarllen. Gan fod Shirl angen cael gwared â'i phowdwr a'i phaent, roedd ganddon ni ddwy gannwyll yn y llofft fel ein bod ni'n dwy'n gallu gweld heb oleuo'r trydan. P'un bynnag, mae'n rhaid nad oedden ni ddim wedi cau'r llenni'n iawn. Bum munud yn ddiweddarach, dyna guro mawr ar y drws, fel petai'r byd ar ddod i ben. Pan aeth Mam at y drws, be welodd hi ond plismon ar y rhiniog, yn creu stŵr. Fe wthiodd ei ffordd heibio iddi ac i mewn i'r tŷ, gan ddweud fod rhywun yn rhoi arwyddion i'r Almaenwyr.

Er i Mam ddweud wrtho, mor gwrtais ag y gallai, ei fod o'n hurtio, fe fynnodd gael gweld ein hystafell ni. I fyny'r grisiau â fo nerth ei draed a rhoi andros o bryd o dafod i ni; gweiddi ar dop ei lais, 'Wyddoch chi ddim fod yna flacowt?' a gofyn oedden ni'n ochri efo'r Jeris. Roedd Shirl wedi dychryn am ei bywyd, ac mi swatiais i o dan y cwrlid. Diolch byth fod Shirl yn dal i wisgo'r rhan fwyaf o'i dillad!

Wedi iddo adael, fe aeth Mam yn hollol wallgof. Doedd hi ddim yn rhy siŵr pwy i'w feio, ni am godi cywilydd arni, ynteu'r plismon am fod mor anghwrtais ac am ruthro i mewn fel yna. Torri allan i grio wnaeth Shirl a finna, a rhwng bob dim roedd hi'n noson ddiflas iawn. Pan ddaeth Dad adref ar ddiwedd ei shifft y bore 'ma, fe fynnodd Mam ei fod yn mynd i lawr i swyddfa'r heddlu i ddweud wrth bwy bynnag oedd ar ddyletswydd yn union be oedd o'n ei feddwl ohonyn nhw, ond wela i ddim pa les wnaiff hynny.

Mae'n siŵr gen i fod angen y blacowt, a'i fod yn gwneud synnwyr na ddylen ni ddim rhoi unrhyw syniad i'r bomwyr o beth sydd ar y tir, ond mae o'n achosi peth wmbredd o broblemau. Roedd Dad yn credu ei fod yn beth da mai plismon alwodd yma ac nid un o wardeniaid yr ARP (*Air Raid Precautions*), sy'n mynd o gwmpas yn gorchymyn pobl i ddiffodd y goleuadau, gan eu bod nhw'n rêl unbeniaid bach. Yna, rhoddodd Mam sioc i ni i gyd drwy ddweud fod yr hen ddywediad 'na 'os na fedri di 'u curo nhw, ymuna â nhw' yn ddigon gwir, a'i bod hi ag awydd gwneud cais i fod yn warden. Does gan yr un ohonyn nhw ronyn o synnwyr, meddai hi, ac os bydd pethau'n troi'n gas allwn ni ddim fforddio dibynnu ar ffyliaid. Felly, mi fydd pedwar aelod o'n teulu ni'n gwisgo iwnifform, pump os ydi'r hyn mae Shirl yn ei wisgo i weithio yn Chiesman's yn cyfri. Fe ddwedodd Shirl, o ran hwyl gobeithio, y gallwn i ymuno â'r geidiaid os o'n i'n teimlo allan ohoni, ond mi wnes i'n hollol glir iddi nad ydi'r un iwnifform yn werth hynny!

Dydd Mawrth, Awst 6

Mae'n rhaid i chi edmygu Mam. Os ydi hi'n dweud ei bod am wneud rhywbeth, does dim yn mynd i'w rhwystro. Fe aeth draw ddoe a chofrestru fel warden efo'r ARP. Chafodd hi'r un iwnifform, chwaith, dim ond band braich a'r llythrennau ARP arno mewn llythrennau mawr, gwynion.

Chwerthin wnaeth Dad pan welodd o hi. 'Rydan ni i gyd mewn helbul rŵan, Beattie,' meddai. 'Cofrestru fel'na! Sut gwyddan nhw nad ysbïwr dros yr Almaenwyr wyt ti?'

'Sid Bazeley sy'n rhedag y sioe,' meddai Mam, gan dynnu'r pinnau o'i het. 'Os nad ydi o'n gwybod hynny, mae 'na rywbeth mawr o'i le. On'd oeddan ni'n blant efo'n gilydd yn Madras Teras? Mi fedrwn i ddweud sawl stori am Sid wrthat ti!'

Ers pan gafodd Shirl a finna'r helynt yr wythnos

ddiwethaf, mae Mam wedi bod yn mwydro ynglŷn â'r blacowt. Mae hi'n archwilio'r llofft bob nos, ac yn gwneud i ni hongian blancedi sbâr dros y ffenestr.

'Fydd dim ots be 'newch chi rŵan, y cnafon bach,' meddai.

Mae'n siŵr gen i fod yn rhaid iddi gadw trefn yn ei chartref ei hun os ydi hi am fod yn warden a bosio pobl eraill o gwmpas.

Mae canolfan y wardeniaid yn ein hen ysgol ni, yn ffordd Hengist. Fe symudon nhw i mewn cyn gynted ag y cafodd y plant eu hanfon i ffwrdd y llynedd. Does yna'r un ysgol go iawn wedi bod ers hynny, gan fod yr athrawon i gyd wedi gadael hefyd. Mae'n rhyfedd meddwl am y wardeniaid yn eistedd yn ein hen ystafelloedd dosbarth ni, yn yfed te. Mae Mam yn dweud ei bod hi'n hen bryd i'r ARP wneud mwy dros bobl na dim ond gweiddi arnyn nhw. Mae hi'n llawn syniadau am drefnu cyngherddau, a phartïon i'r plant, a phethau felly. Fe gawn ni weld. O'r hyn yr ydw i'n ei gofio o Sid Bazeley, go brin y byddai ganddo unrhyw ddiddordeb yn hynny. Cadw siop ffrwythau a llysiau, i fyny i gyfeiriad Catford, mae o. Roedd o'n sobor o annymunol efo ni'r plant bob amser.

Mae yna newyddion da a newyddion drwg ynglŷn â'r blacowt. Gan nad oes neb yn gallu gweld dim yn y tywyllwch, does ryfedd yn y byd fod cymaint o ddamweiniau'n digwydd. Mi ddarllenais i ym mhapur newydd Dad yr wythnos ddiwethaf fod rhywun wedi cael ei ladd drwy syrthio oddi ar blatfform stesion yn agos i Bromley. Ac fe faglodd yr hen Annie Makins ar ymyl y palmant un noson, i lawr y ffordd o'n tŷ ni, a thorri'i ffêr. Druan â hi. Maen nhw'n peintio ymyl y palmant yn wyn mewn rhai mannau, a hyd yn oed yn rhoi band gwyn o gwmpas y blychau postio, rhag ofn i rywun gerdded i mewn iddyn nhw, ond dydyn nhw ddim wedi cyrraedd Ffordd Summerfield hyd yn hyn.

A'r newyddion da? Mae'r sêr yn werth eu gweld! Yn yr hen ddyddiau, cyn y rhyfel, roedd goleuadau'r stryd yn eu cuddio nhw, ond rŵan, ar nosweithiau clir, mae'r awyr cyn ddued â glo ac wedi'i gorchuddio â miloedd o sêr, yn disgleirio fel diamwntau. Fe allwch chi weld y Llwybr Llaethog hyd yn oed, yn ymestyn ar draws yr awyr fel sgarff sidan, ysgafn.

Dydd Mercher, Awst 7

Rydw i wedi hen 'laru. Dydi hyn ddim byd tebyg i wyliau'r haf. Ond gan nad oes yna dymhorau ysgol bellach, sut mae penderfynu beth sy'n wyliau a beth sydd ddim, o ran hynny?

Pan gafodd pawb eu hanfon i ffwrdd y llynedd, roedd pethau'n wych ar y dechrau. Gan fod yr athrawon wedi gadael efo'r plant, a neb ar ôl i redeg yr ysgol, roedd yn rhaid i ni aros gartref. Do'n i ddim eisiau cael fy ngyrru i ffwrdd i Sussex neu Ddyfnaint lle na fyddwn i'n 'nabod neb, ac mi allwn i ddweud fod Tom wedi dychryn allan o'i groen, hefyd. Ro'n i'n poeni cymaint nes fy mod i mewn andros o stad, ac fe ddwedodd Mam, o'r diwedd, na châi neb anfon Tom a finna i ffwrdd tra bod anadl yn ei chorff hi.

Fe ddaeth Mrs Chambers o'r ysgol draw acw i geisio perswadio Mam i newid ei meddwl. Ro'n i'n gwrando y tu allan i ddrws y parlwr, ac mi fu yna dipyn o ffrae. Yn ôl Mrs Chambers, roedd Mam yn gosod esiampl ddrwg drwy beidio gwneud yr hyn mae'r llywodraeth yn ei ddweud sydd orau. Fe ddwedodd Mam nad oedd am i neb ddweud wrthi hi sut i fagu'i phlant. Dyna Mrs Chambers yn brathu'n ôl ac yn gofyn sut byddai Mam yn teimlo petai bom yn syrthio ac yn lladd Tom a finna.

Ddwedodd Mam ddim byd am funud. Mi rois i fy nghlust wrth dwll y clo a'i chlywed hi'n sibrwd ei bod hi'n gobeithio, petai hynny'n digwydd, y bydden ni i gyd yn mynd efo'n gilydd, ac nad oedd hi am ildio i fygythion Hitler na Mrs Chambers, diolch yn fawr. A dyna'i diwedd hi.

Felly, am y rhan fwyaf o'r flwyddyn, mae Tom a finna wedi bod yn treulio tri bore'r wythnos efo Mrs Riley. Athrawes oedd hi, cyn iddi ymddeol. Er ei bod hi'n un glên iawn, dydi o ddim 'run fath â'r ysgol. Yn un peth, mae hi'n cael trafferth i aros yn effro am fore cyfan, ac er bod ei darllen a'i hysgrifennu hi'n iawn, mi wn i fwy am ddaearyddiaeth na hi. Does gan Tom ddim mymryn o ddiddordeb. Mae ceisio'i gadw yn ei sêt am ddeng munud ar y tro yn gymaint ag y gall Mrs Riley ei wneud, gan ei fod o'r fath gnonyn. Mi fydda i'n darllen ryw gymaint efo fo bob dydd ac yn rhoi ychydig o symiau iddo fo. Am weddill yr amser, mi fydda i'n helpu Mam, ac yn gwneud sawl rownd bapur i Mr Lineham. Fo ydi perchennog siop y gornel.

Rydw i'n gweld colli'r ysgol, a'r ffrindiau oedd gen i. Yn enwedig ar ddiwrnod fel heddiw, pan mae hi'n tywallt y glaw.

Fe ddaeth yr un boi i ddanfon Shirl adref neithiwr. Mae o'n edrych braidd yn rhy hen iddi, os ydach chi'n gofyn i mi! Ac mae ganddo fo fwstás. Wna i ddim gofyn i Shirl a ydi o'n cosi!

Dydd Sadwrn, Awst 10

Roedd fy mhen blwydd i ddoe. Prin y galla i gredu fy mod i'n ddeuddeg oed. Rydw i'n dweud, 'Mae Edie Benson yn ddeuddeg oed!' drosodd a throsodd, wrtha i fy hun. Rydw i'n meddwl ei fod o'n swnio'n llawer gwell nag un ar ddeg.

Rhyw ddechrau digon od oedd o i ben blwydd. Roedden ni i gyd yn yr Anderson am y rhan fwyaf o nos Iau. Fe ganodd y seiren am naw fin nos, ac wedyn tua hanner nos, ac roedd pawb yn cysgu uwchben eu traed erbyn y bore. Does yna ddim bomiau hyd yn hyn. O leia, dydan ni ddim wedi clywed rhai. Tybed sut bydd hi pan ddechreuan nhw syrthio?

Mae 'Colofn y Doctor' yn *Woman's Own* Mam yn dweud, os ydach chi eisiau noson o gwsg, y dylech chi fwyta digon o letys, a dim byd arall, yn ystod y min nos. O, ia, fe ddylai plygio'ch clustiau efo wadin helpu, hefyd. Mi fetia i nad ydi'r Doctor yn gorfod treulio'i nosweithiau efo pedwar arall mewn twll o'r un maint â chwt cwningen! Ai dyna pam mae cwningod yn bwyta letys? I'w helpu nhw i gysgu?

Mi ges i syrpreis gwerth chweil amser te. Fe

gyrhaeddodd Maureen ar seibiant, yn annisgwyl i ni, efo tusw mawr o flodau i Mam, a band gwallt del i mi. Dyna beth oedd rhyfeddod! Ro'n i wedi gobeithio'n dawel bach y gallai Frank ddod adref hefyd, ond o leiaf fe gofiodd anfon cerdyn i'w 'hoff chwaer fach nad-ydi-hi-ddim-mor fach'.

Ar ôl te, fe aethon ni i gyd i'r Hippodrome yn Lewisham i weld *Over the Rainbow*. Roedd mynd i'r theatr fin nos yn gwneud i mi deimlo fy mod i wedi tyfu i fyny. Fe lwyddodd Dad, hyd yn oed, i osgoi shifft er mwyn cael dod efo ni. Stori'r Dewin Oz ydi *Over the Rainbow*, yr un fath â'r ffilm efo Judy Garland mae pawb yn sôn amdani. Roedd hi mor fendigedig o ddigri a digalon, ac er ein bod ni'n eistedd reit yn y cefn dyna'r trêt gorau allai rhywun ei gael i ddathlu diwrnod arbennig. Yn well na dim, fe gawson ni fin nos cyfan heb rybudd cyrch awyr, diolch i Frank a bechgyn yr RAF. Mae'n rhaid eu bod nhw wedi codi dychryn ar y bomwyr a gwneud iddyn nhw gadw draw, yn unswydd i mi. Roedden ni i gyd wedi ymlâdd erbyn cyrraedd Ffordd Summerfield, rhwng y cerdded a'r colli cwsg y noson cynt.

Un o'r pethau yr ydw i'n gweld ei golli fwyaf ynglŷn â'r ysgol ydi cymryd rhan mewn dramâu. Mi fyddwn i wrth fy modd yn cael bod yn Dorothy yn y *Wizard of Oz*. Neithiwr, ro'n i eisiau neidio ar y llwyfan a chanu efo nhw.

Dydd Sul, Awst 11

Gan fod heddiw yn ddiwrnod Amddiffyn Gwladol yn Lewisham, roedd yn rhaid i Mam fod ar ddyletswydd efo'r wardeniaid eraill. Aeth Dad i'w waith, dan duchan. Roedden nhw i gyd wedi cael gorchymyn i wneud yn siŵr fod eu hesgidiau'n sgleinio a phob iwnifform wedi'i phresio'n daclus. Roedd 'rhywun pwysig' yn dod i gael golwg arnyn nhw. 'Wyddan nhw ddim fod yna ryfal ymlaen?' cwynodd Dad. 'Mae ganddon ni fwy na digon o waith i'w wneud, heb orfod sefyll o gwmpas yn aros am ryw Robin busnes la-di-da.'

Roedd Shirl wedi gadael am Chiesman's tua hanner awr wedi saith, ac wedi i Tom a finna (fi, o leia!) orffen golchi'r llestri brecwast a thacluso'r tŷ dyna ni'n slefio allan i weld be oedd yn digwydd.

Cyn i ni drafod hynny y noson o'r blaen, do'n i ddim wedi sylweddoli fod Mam yn mynd i fod yn ei chanol hi petai'r bomiau yn syrthio. Pan fydd ffatri neu dŷ yn cael ei daro, mae gofyn i'r wardeniaid gyrraedd yno cyn gynted ag y gallan nhw. Wedi iddyn nhw gael cip sydyn o gwmpas, mae'n rhaid ffonio Neuadd y Dref er mwyn i ganolfan yr ARP gael gwybod be sydd wedi digwydd.

Faint o bobl sydd wedi brifo neu gael eu lladd? Oes yna rywun yn dal o dan y rwbel? Yna, maen nhw'n gwneud yr hyn sydd ei angen, yn achub pobl ac yn rhoi cymorth cyntaf nes i'r help go iawn gyrraedd.

Mae Mam yn ddewr iawn. Ro'n i'n crynu wrth feddwl am ddod o hyd i gyrff marw a phethau felly. Dydw i ddim yn meddwl y gallwn i wneud hynny.

I lawr yn iard Finch, yr adeiladydd, roedd yna griw o bobl yn rhythu ar rywbeth, ond allen ni ddim mynd yn ddigon agos i weld. Rydw i'n dotio at Tom, ydw wir. Mae o'n 'nabod y llwybrau rhwng cefnau'r tai yn llawer gwell na fi, ac o'r diwedd fe ddaeth o hyd i wal y gallen ni eistedd arni a gweld dros yr iard.

Roedd pawb yn smalio fod bom newydd ddisgyn. Allen ni ddim gweld Mam, ond roedd yno amryw o wardeniaid yn rhuthro o gwmpas fel geifr ar daranau, a phobl yn gorwedd ar lawr. Roedden nhw'n griddfan yn uchel ac yn chwifio'u breichiau a'u coesau i ddangos eu bod nhw wedi brifo, nes i'r nyrsys ddod atyn nhw i drin y 'briwiau'. Fyddai'r un ohonyn nhw wedi ennill gwobr am actio! Fe gafodd ambell un ei roi ar stretsiar a'i halio i mewn i ambiwlans. Doedden ni ddim wedi bod yno bum munud pan ddwedodd Tom ei fod o wedi cael digon. I lawr â ni, a cherdded ymlaen i Lewisham. Bob hyn a hyn, fe allen ni glywed clychau sawl injan dân, felly dyna anelu am yr Orsaf.

'Gwna di'n siŵr na fydd Dad yn ein gweld ni, Tom.' Mi fu'n rhaid i mi weiddi'r geiriau wrth geisio cadw i fyny â fo. 'Mi fydd hi'n ddrwg arnon ni os cawn ni'n dal, yn enwedig heddiw!' All Dad ddim dioddef ein gweld ni'n loetran o gwmpas yr Orsaf. 'Gwaith a chartref? Olew a dŵr!' – dyna fydd o'n ei ddweud.

Roedd yna dyrfa anferth o gwmpas yr Orsaf Dân, pawb yn siarad bymtheg y dwsin, a doedd dim amdani'r tro yma ond gwthio i'r blaen, os oedden ni am weld be oedd yn digwydd.

'Gadwch i'r rhai bach fynd drwodd iddyn nhw gael gweld y teulu brenhinol,' meddai dynes fawr, efo sgarff binc a melyn am ei phen, oedd yn hofran y tu ôl i ni. Wrth i'r dyrfa rannu, dyna hi'n ein gwthio ni ymlaen, a'n defnyddio ni fel esgus i gael gwell golwg ei hun.

Pan drois i fy mhen a gofyn iddi, 'Pa deulu brenhinol?' fe waeddodd, yn uwch na gweiddi'r dyrfa, 'Y Brenin a'r Frenhinas, cariad bach! Dowch i weld sut mae'r hannar arall yn byw!'

Fe allen ni weld rhes o ddynion tân o'n blaenau, yn sefyll yn erbyn injan dân loyw. A'u cefnau aton ni, roedd dyn mewn gwisg filwrol smart a gwraig fonheddig mewn het las bluog, yn symud yn araf i lawr y rhes. Roedden ni mewn union bryd i'w gweld nhw'n mynd heibio i Dad. Fe arhosodd y Brenin, a dweud rhywbeth, yn ôl pob golwg, a dyna Dad yn plygu'i ben ryw fymryn ac yn ei ateb â gwên.

'Nid y Brenin ydi hwnna!' meddai Tom, braidd yn rhy uchel. 'Lle mae'i goron o?'

'Paid â bod mor wirion,' meddwn i. 'Dwyt ti ddim yn meddwl ei fod o'n ei chario hi efo fo i bob man, does bosib?'

Twt-twtian wnaeth Tom. 'Un glas wyt ti,' meddwn i wedyn. 'Dyma dy dad yn cyfarfod y Brenin, a'r cwbwl sy'n dy boeni di ydi nad oes ganddo fo goron ar ei ben.'

Rai munudau'n ddiweddarach, ysgydwodd y Brenin a'r Frenhines ddwylo efo'r maer, ac i ffwrdd â nhw mewn ceir duon, yn sglein i gyd, i gyfeiriad Blackheath. Yn dilyn hynny, roedd yna arddangosfeydd achub, efo pobl yn neidio oddi ar dŵr yr Orsaf Dân i mewn i gynfasau, a dynion tân yn dangos sut i ddiffodd bombiau tân smalio bach – y rhai nad ydyn nhw'n eich chwythu chi'n ddarnau, dim ond eich llosgi chi i farwolaeth, drwy gychwyn tanau. Yn ôl pob golwg, dydi taflu dŵr drostyn nhw ddim ond yn gwneud pethau'n waeth. Mae'n rhaid defnyddio tywod. Rydw i'n meddwl fod Tom wedi mwynhau hynny'n fwy na gweld y Brenin.

'Mi ddigwyddodd 'na rwbath arbennig iawn heddiw, Beat,' meddai Dad wrth Mam amser te.

'Felly ro'n i'n deall,' meddai hithau. 'Ddaethon nhw ddim i'n gweld ni'r gweithwyr, yn naddo?' Roedd hi'n swnio fel petai hi wedi pwdu, ond dim ond herian oedd hi. Ac yn falch, o ddifri.

'Mi siaradodd efo fi, o do,' meddai Dad, gan edrych arnon ni gyd yn ein tro. 'Mi siaradodd ein Brenin ni . . . efo fi.'

Roedden ni fel clai yn ei ddwylo, pawb yn dal ei anadl wrth aros i glywed manylion y sgwrs arbennig yma.

'Ydach chi am wybod be ddeudodd o 'ta?'

Nodiodd pawb. A dyna Dad yn lledu'i wefusau i ddangos ei ddannedd, ac yn dweud, gan ddynwared acen y bobl fawr,

'On'd yw hwn yn ddiwrnod hy . . . y . . . y . . . yfryd.'

'Bert!' meddai Mam.

'Do, wir!' meddai Dad. 'Dod i Lewisham i godi'n calonnau ni, a gwneud dim ond siarad am y tywydd. Be nesa, meddat ti! Mi dw i'n teimlo'n llawar gwell rŵan!' Ac ysgwyd ei ben.

'Fe ddaethon nhw, o leia!' meddai Mam. 'Fe allen nhw guddio o olwg pawb mewn byncar, wyddost ti!'

Dydd Llun, Awst 12

Roedd gan Mam syrpreis i ni heddiw. Mae hi am fynd â Tom a fi i weld Modryb Mavis, sy'n byw wrth ymyl

Tonbridge, fory. Hwrê! Ac mi fyddwn ni'n aros tan ddydd Gwener. Gwyliau ydi hwn i fod, neu rywbeth tebyg, o leia.

Dim glan môr, ond o leia mi fyddwn ni'n ddigon pell o Lewisham drewllyd. (Ac yn mynd yn fwy drewllyd bob dydd! Maen nhw'n gadael i bobl gadw moch yn eu gerddi cefn rŵan ac wedi rhoi biniau ar gorneli'r strydoedd. Y syniad ydi y dylen ni roi'n holl sbarion ynddyn nhw er mwyn bwydo'r moch felltith. Pan mae hi cyn boethed ag oedd hi ddoe, does yna neb eisiau mynd o fewn hanner milltir i'r biniau 'na. Maen nhw'n drewi fel ffwlbart!)

Ers pan glywodd hi sôn am Tonbridge, mae Shirl wedi llyncu mul. Prin y dwedodd hi air wrtha i drwy'r min nos. Rydw i'n meddwl ei bod hi wedi ffansïo ychydig ddyddiau'n y wlad.

Pan oedden ni'n paratoi i fynd i'r gwely, mi ofynnais iddi pwy ydi'r boi sy'n ei danfon adref. A dyna hi'n cochi hyd at fôn ei gwallt. Go dda!

'Be ydi'i enw fo?' meddwn i.

'Meindia dy fusnas!' meddai Shirl, yn biwis. Yna, am ei bod hi'n amlwg bron â marw eisiau dweud wrth rywun, dyna hi'n ildio, a dweud, 'Olreit 'ta. Alec, os oes raid i ti gael gwybod. Mi dw i'n meddwl 'i fod wedi dotio arna i.'

Mi fentrais innau ofyn, 'A be amdanat ti?'

‘Meindia dy fusnas!’ meddai hi wedyn. A doedd dim rhagor i’w gael. Am y tro . . .

Dydd Mawrth, Awst 13

Ar ôl dal bỳs i lawr i Hither Green, fu dim rhaid i ni aros yn hir am y trên trydan i Sevenoaks. Dyna lle’r oedd yr hwyl a’r sbri’n dechrau.

Os ydach chi am gyrraedd pen eich taith y dyddiau yma, mae’n rhaid byw’n y gobaith y clywch chi’r porter yn gweiddi ‘Sevenoaks’, neu ble bynnag, gan eu bod nhw wedi cael gwared â’r holl arwyddion. Mae Dad yn dweud mai’r syniad ydi na fydd yr Almaenwyr yn gwybod ble maen nhw, os digwyddan nhw ymosod rywdro. Mae’r un peth yn wir am yr arwyddion ffordd.

Wrth lwc, doedd hynny ddim yn broblem, gan nad oedd ein trên ni ond yn mynd cyn belled â Sevenoaks. Fe eisteddon ni am hydoedd wedyn yn aros am y trên stêm fyddai’n mynd â ni i Tonbridge. Doedd hynny’n poeni dim ar Tom. Alla i ddim deall pam, ond mae o i weld wrth ei fodd yn sefyll ar blatfform yn gwylio’r trenau’n symud yn ôl a blaen.

'Damio'r rhyfal 'ma!' meddai rhyw ddyn oedd yn sefyll nesaf aton ni. 'Mae o'n rhoi pob esgus maen nhw 'i angan iddyn nhw. Dydi'r trenau gebyst byth ar amsar rŵan.'

O'r diwedd, dyna drên yn pwffian i mewn yr ochr bellaf i'r orsaf. I ffwrdd â ni ar ras dros y bont, mewn panig llwyr. Doedd neb i weld yn gwybod os mai trên Tonbridge oedd o. Hyd yn oed wedi i ni gychwyn, roedd Mam yn dal braidd yn nerfus, ac yn holi'r teithwyr eraill tybed ai yn Hastings y bydden ni i gyd yn dod i ben ein taith.

Mae bleind ar bob ffenestr trên rŵan, ac mae'n dywyll iawn. Y blacowt, unwaith eto. Mae'n siŵr gen i y byddai trên wedi'i oleuo yn gocyn hitio yn y nos. Mae yna ryw lampau glas rhyfedd ym mhob cerbyd, sydd ddim ond yn rhoi digon o olau i rwystro pobl rhag disgyn ar draws ei gilydd.

Er ein bod ni ddwy awr yn hwyr yn cyrraedd Tonbridge, roedd Ewythr Fred – ei fochau cochion yn sgleinio o dan het fach ddigri – yn dal yno'n aros amdanon ni. Efo'i gar.

'Fe allen ni fod wedi dal y bŷs,' meddai Mam. 'Beth am y dogn petrol? Dydach chi ddim eisiau'i wastraffu o.'

'Dim enw, dim cosb,' meddai Ewythr Fred, gan godi'i fys at ei drwyn. 'Does 'na byth broblem mewn cael 'chydig rhagor o betrol, ond i chi wybod ble i holi.'

Fe gymerodd Mam arni edrych yn syn. Yna, dyna hi'n gofyn, 'Sut mae Mavis?' a sŵn pryder yn ei llais. Mi rois i gip ar Tom, ond doedd o ddim wedi sylwi.

'Dydi'r hen hogan ddim yn rhy dda. Ddim o gwbwl,' atebodd Ewythr Fred, ac mi allwn i daeru fod yna ddagrau yn ei lygaid.

Wrth gwrs, y munud y gwelais i Modryb Mavis, mi wyddwn pam y daethon ni i Tonbridge mwyaf sydyn. Dydi hi ddim ond hanner y maint oedd hi, a'i chroen yn rhyw liw melyn, afiach. Efallai mai gwyliau ydi hyn i ni, ond mae arna i ofn fod Mam wedi dod i weld ei chwaer am reswm cwbwl wahanol.

Dydd Mercher, Awst 14

Pan gawson ni funud i ni'n hunain y bore 'ma, mi holais i Mam ynghylch Modryb Mavis. Fe edrychodd i fyw fy llygaid i.

'Mae hi'n wael iawn, Edith,' meddai'n dawel. Mi fydda i bob amser yn gwybod fod rhywbeth o'i le pan fydd hi'n fy ngalw i wrth fy enw llawn, fel yna. 'Rhaid i ni edrych ar ei hôl hi gymaint ag y gallwn ni. A Fred. Wn i ddim be fydda fo'n 'i wneud heb Mavis.' A dyna hi'n troi ei phen i ffwrdd, braidd yn rhy sydyn.

Y prynhawn 'ma, fe gerddodd Tom a finna heibio i'r tai, allan i'r caeau, a dringo fesul tipyn i fyny am y coed. Roedd yr ŷd o boptu'r llwybr yn cyrraedd ysgwyddau Tom. Roedden ni bron yn lefel â'r coed pan glywson ni'r awyrennau cyntaf, yn uchel ac ymhell. Dyna ni'n troi i chwilio, gan gysgodi'n llygaid rhag yr haul.

'Draw fan'cw,' meddai Tom, a phwyntio i'r awyr. Mi gymerodd rai eiliadau i mi, ac yna mi welais innau nhw, patrwm o ddotiau yn gwau drwy'r cymylau.

'Almaenwyr,' meddai Tom.

'Ti'n meddwl? Sut gwyddost ti?'

'Heinkels! Mi fedri di ddeud wrth eu siâp nhw, siawns,' meddai, fel pe bawn i ond geneth ddwl, yn gwybod dim. Ond roedd o'n iawn. Fe glywson ni sŵn rhagor o awyrennau yn dod o'r tu ôl i ni, dros y coed. Y munud nesaf, roedd yr awyr uwch ein pennau ni'n llawn ohonyn nhw, yn gwibio i fyny ac i lawr. Yna, fe ddechreuodd y tanio.

Wn i ddim am Tom, ond ro'n i fel pe bawn i wedi rhewi'n fy unfan. Do'n i erioed wedi gweld na chlywed dim byd tebyg, ac fe ddigwyddodd y cwbwl mor sydyn ac mor annisgwyl. Wyddwn i ddim beth i'w wneud, rhedeg am adref ynteu cysgodi yn y coed.

'Be wnawn ni, Tom?' meddwn i, er mai fi ddylai benderfynu.

Codi'i ysgwyddau wnaeth o, ac awgrymu, 'Aros i weld be sy'n digwydd, ia?'

A dyna wnaethon ni. Er na pharodd yr ysgarmes fwy na deng munud, mi allwn i daeru iddo fynd ymlaen am oriau. Fe sylwon ni fod un awyren yn mygu wrth iddi droelli i ffwrdd oddi wrth y lleill, yna'n hongian a hercian, cyn mynd din-dros-ben a phlymio o'r golwg yr ochr arall i'r bryn. Mae'n rhaid ei bod hi wedi disgyn filltiroedd i ffwrdd, gan na chlywson ni mohoni'n glanio, na'r un ffrwydrad chwaith.

'Gobeithio ma' un o'u rhai nhw oedd hi,' meddai Tom, fel petai o wedi mwynhau'r profiad.

'Falla fod y peilot wedi'i ladd,' meddwn i, ddim yn rhy siŵr beth i'w feddwl.

'Da iawn! Yr unig Almaenwr da ydi un marw . . .'

'Cau dy geg, Tom. Ddylat ti ddim dweud hynna.'

'Pam lai?' gofynnodd yntau'n flin. 'Mae o'n wir.'

Anaml y bydd Tom a finna'n ffraeo, ond ddwedon ni'r un gair wrth ein gilydd am sbel ar ôl hynny. Fel yr oedden ni'n croesi'r ffordd yn ôl at y tŷ, roedd darnau o fetel gloyw i'w gweld ar y concrid.

'Bwledi,' meddai Tom, wedi cynhyrfu'n lân, a mynd ati i godi un o'r darnau.

'Paid ti â meiddio,' gwaeddais. 'Mi alla hwnna chwythu dy law di i ffwrdd. Stopia, Tom. Y munud 'ma!'

Fe wnaeth fel ro'n i'n gofyn, er ei fod o'n gwgu'n arw arna i.

A dyna ni. Mae'r rhyfel yn real i ni rŵan. Mae'n digwydd i ni, nid i bobol eraill yn unig.

Dydd Iau, Awst 15

Y peth cyntaf sy'n tynnu sylw rhywun ynglŷn â Tonbridge ydi pa mor ddistaw ydi'r lle. Felly, pan ganodd y ffôn ganol nos neithiwr, mi fu ond y dim i mi â neidio allan o 'nghroen. Does yna'r un ffôn yn Ffordd Summerfield. Os ydan ni am gael gair efo Modryb Mavis ac Ewythr Fred, y ciosg amdani. Dim ond pobl grand sydd â ffôn yn y tŷ, greda i.

Mae Ewythr Fred yn gweithio yn ymyl Sevenoaks, mewn lle o'r enw Fort Halstead. Mi wn i ei fod o'n gweithio i'r Llywodraeth, ond dyna'r cwbwl wn i, ac mae'n well peidio holi, yn ôl Mam. Does dim ond raid i rywun chwarae gwyddbwyll efo Ewythr Fred i wybod ei fod o'n glyfar iawn. 'Boffin' ydi o, meddai Dad, beth bynnag mae hynny'n ei feddwl.

Chlywodd Tom mo'r ffôn. Roedd o'n dal i gysgu'n

sownd, ac yn anadlu'n drwm. Mi rois i siwmper dros fy nghoban ac agor drws y llofft yn ddistaw bach. Mi allwn i glywed Ewythr Fred yn siarad ar y ffôn i lawr yn y cyntedd. Fel ro'n i'n croesi'r landin ar flaenau fy nhraed, roedd o'n dweud 'ta ta' wrth bwy bynnag oedd ar ben arall y lein. Wrth iddo roi'r ffôn i lawr, fe drodd a 'ngweld i ar ben y grisiau, a'i dro fo oedd neidio. Roedd golwg od arno, braidd yn boenus, ac eto â rhyw hanner gwên ar ei wyneb.

Mi es i i lawr y grisiau a sibrwd, wrth eistedd ar y gris waelod, 'Be sy, Yncl Fred?'

Fe edrychodd arna i fel petai o'n methu penderfynu beth i'w ddweud.

'Dim byd,' meddai, gan obeithio y byddai hynny'n rhoi taw arna i, mae'n siŵr. Ond dal ymlaen wnes i.

'Ond fedar o ddim bod yn ddim byd. Mae hi'n ganol nos!'

Ildiodd yntau, a sibrwd yn ôl, 'Iawn, waeth i ti gael gwybod ddim, 'mach i. Rydw i'n aelod o'r Home Guard, y Gwarchodlu Cartref, Edie. Ac mae pobol byth a beunydd yn dychmygu eu bod nhw'n gweld pethau. Mae rhywun yn credu fod yr Almaenwyr wedi glanio wrth ymyl Coed Paddock. Rwdlan gwirion ydi hynny, wrth gwrs. Dim ond potsiar sydd yno, mae'n debyg, ond mi fydd raid i mi fynd draw i wneud yn siŵr. Yli, maen nhw'n fwy tebygol o fod yn ddynion bach o'r blaned Mawrth nag Almaenwyr, felly dos di'n ôl i dy wely a phaid â phoeni.'

Tan y munud hwnnw, do'n i ddim wedi gweld y reiffl oedd wedi'i guddio y tu ôl i'r stand hetiau.

O'r llofft, mi glywais y car yn gadael, ac am y ddwy awr nesaf wnes i ddim byd ond gorwedd yno'n crynu, yn hanner disgwyl i frigâd o filwyr dorri i mewn drwy'r drws ffrynt. Ond pan ddaeth Yncl Fred yn ei ôl, mi wyddwn, wrth ei glywed yn cau'r drws mor ddistaw a gofalus, nad oedd na dynion bach o Fawrth nac Almaenwyr chwaith, wedi ymosod arnon ni, a dyna droi drosodd a mynd yn ôl i gysgu.

Fe ddalion ni'r bws i Tonbridge y bore 'ma, i wneud y siopa dros Modryb Mavis. Mae'r te fydd hi'n ei baratoi yn frown tywyll, ac yn dew fel triog. Mae'n rhaid ei bod hi'n defnyddio tua phum llwyaid. Ond maen nhw'n dogni te bellach, yn ogystal â menyn a chig. Er mwyn cael eich siâr, mae'n rhaid i chi ddefnyddio tocynnau o'ch llyfr dogni. Felly, os down ni i lawr yma eto, efallai y bydd hi'n bosibl yfed te Modryb Mavis!

Os down ni i lawr eto! Mae Mam yn dweud mai canser sydd ar Modryb druan, ac mai siawns wael sydd iddi yn ôl y doctoriaid. Be mae hynny yn ei olygu? Misoedd? Wythnosau?

Druan o Mavis. Druan o Mam. Sut deimlad ydi gwybod fod eich chwaer yn marw o ganser? Fe allai ddigwydd i Shirl a fi!

Dydd Gwener, Awst 16

Amser brecwast, tra oedd Mam yn helpu Modryb Mavis i wneud uwd, mi ofynnais i, 'Sut beth ydi'r Hôm Gard, Yncl Fred?'

'Iawn,' meddai, a'i lygaid yn pefrio. 'Mae o'n gweud i mi deimlo'n ifanc unwaith eto.'

'Pam hynny?'

'Mae pawb arall yn hŷn na fi, dyna pam,' meddai, dan chwerthin. 'Paid ag edrych mor syn!' a gwneud ystumiau arna i. 'Falla 'mod i'n gor-ddweud, ond mae yna dipyn go lew o hen greaduriaid yn ein cwmni ni. Mae George Chapman yn chwe deg pump, o leia. Ond mae'n rhaid i ni i gyd wneud ein rhan, on'd oes?'

'Be'n union ydach chi'n 'i 'neud, felly?' holodd Tom.

'Wel, maen nhw'n ein hyfforddi ni i amddiffyn pob dim sy'n strategol bwysig – stordai gynnau, priffyrdd a rheilffyrdd, a phethau felly. Petai Hitler yn ddigon ffôl i ymosod, fe fydden ni'n trio'n gorau i wneud bywyd yn anodd iddo fo.'

'Ydi o'n wir nad oes ganddoch chi ddim ond coesau brwshys a ffyrch gwair i ymladd efo nhw?' holodd Tom. Doedd o ddim wedi sylwi ar y reiffl chwaith. Dydw i ddim yn credu fod Tom yn bwriadu bod yn ddigywilydd, ond roedd o'n swnio felly, ac mi rois i gic galed iddo fo. Ond fyddai dim rhaid i mi fod wedi poeni. Roedd Ewythr Fred yn chwerthin.

'Ddim yn hollol. Mae'n wir nad oedd 'na fawr o arfau ar gael pan wnes i ymuno tua phedwar mis yn ôl. Ond maen nhw'n ein gweithio ni'n galed rŵan. Mi fydd ganddon ni beiriant saethu hyd yn oed cyn bo hir!'

'Sut ydach chi'n cael amsar i wneud hyn i gyd?' meddwn i.

'O, dydi hynny ddim mor anodd. Mae 'na ddigonedd o fin nosau a phenwythnosau.' Fe edrychodd i fyw fy llygaid i a gostwng ei lais. 'Mae o'n help i symud fy meddwl i, a dweud y gwir.'

'Ydach chi wedi taflu grenâd rywdro?' gofynnodd Tom, yn gynnwrf i gyd.

'Dim ond rhai cogio bach,' meddai Ewythr Fred. 'Rydw i'n gobeithio na fydd raid i mi byth daflu un o ddifri. Er, mi fyddwn i'n gwneud yn iawn, debyg. Ro'n i'n un da am chwarae criced yn yr ysgol.'

'Ydach chi'n meddwl 'i fod o'n wir y bydda'r Almaenwyr yn defnyddio nwy gwenwynig?' Fi ofynnodd y cwestiwn. Mae meddwl am y nwy wedi bod yn rhoi hunllefau i mi. Ynddyn nhw, rydw i bob amser yn ceisio dianc o Ffordd Summerfield, ac er fy mod i'n ymdrechu fy ngorau glas, mae 'nghoesau yn gwrthod fy nghario i allan o'r tŷ. Alla i weld dim, nac anadlu chwaith.

'Dibynnu sut mae rhywun yn edrych ar bethau,' meddai Ewythr Fred. 'Ar y naill law, mae hynny yn erbyn rheolau rhyfel, ond ar y llaw arall mae'r dyn bach ofnadwy 'na'n ddigon drwg i wneud unrhyw beth petai o'n cael ei hun mewn cornel.'

Ar hynny, fe ddaeth Mam a Modryb Mavis i'r ystafell fwyta. Tawodd Ewythr Fred yn sydyn, yn union fel troi tap i ffwrdd, a throi i wenu ar Modryb fel petai dim i boeni'n ei gylch yn y byd mawr crwn.

Dydd Sadwrn Awst 17

Do'n i ddim wedi sylweddoli, nes i ni gyrraedd adref, gymaint o'n i wedi gweld colli Ffordd Summerfield. Dydi Lewisham ddim mor ddrewllyd, wedi'r cwbwl! (Wel, ydi mae o, ond ddim gwaeth na Tonbridge. Moch yn un, gwartheg yn y llall!)

Er mai dim ond am bum diwrnod y buon ni i ffwrdd, mae'n ymddangos fel oesoedd. Mae'n od fel mae rhywun yn sylwi ar bethau am y tro cyntaf. Pentwr o fagiau tywod yma, rholyn o weiren bigog acw. Allwch chi ddim bod yn hollol siŵr, ond fe allech chi daeru nad oedden nhw yno ychydig ddyddiau'n ôl. Mae fel petai pwysau'r dŵr mewn argae yn cynyddu o wythnos i wythnos, nes ei fod yn siŵr o ffrwydro'n hwyr neu hwyrach. Ydi hynna'n gwneud synnwyr?

Mae Dad i weld wedi gallu dygymod â chael Shirl yn gofalu amdano. Ond roedd y wên lydan ar ei wyneb pan gerddon ni i mewn yn dangos pa mor falch roedd o o'n cael ni'n ôl. Mi afaelodd yn Mam, ei chodi i'r awyr, a rhoi clamp o gusan iddi.

'Rho fi lawr, Bert,' meddai. 'A phaid â rwdlan. Mi ŵyr pawb ma' dim ond y darten afal wyt ti wedi gweld 'i cholli.'

Roedd eu gweld nhw fel yna yn gwneud i mi deimlo'n fwy digalon fyth wrth feddwl am Modryb Mavis ac Ewythr Fred.

Fe gawson ni groeso mawr gan Chamberlain, hefyd. Gobeithio eu bod nhw wedi'i fwydo fo'n iawn.

Dydd Mawrth, Awst 20

Rydw i wedi bod yn darllen papur newydd Dad, y *Kentish Mercury*, er mwyn dal i fyny â'r newyddion, ac mae yna un peth nad ydw i'n ei ddeall.

Os ydi Hitler a'r Natsïaid mor ddrwg ag y mae'r rhan fwyaf yn dweud eu bod nhw, pam y mae rhai pobl yn anghytuno?

Yn ôl pob golwg, roedd Comiwnyddion wedi bod yn protestio yn erbyn y rhyfel i lawr yn Catford ddydd Gwener. Mi holais i Dad ynglŷn â hynny ac fe ddwedodd o fod yr heddlu wedi atal rhai dynion oedd am roi cweir i'r Comiwnyddion.

'Wela i ddim pam,' meddwn i. 'Bradwyr ydyn nhw.'

Fe edrychodd Dad yn ddifrifol am funud. Ro'n i'n meddwl fy mod wedi ei ddigio, er nad oedd gen i syniad pam.

'Dyna ydan ni'n ymladd amdano, 'merch i,' meddai. 'Does 'na ddim rhyddid barn yn yr Almaen. Os nad ydi dy wyneb di'n ffitio, mae hi ar ben arnat ti. Dyna pam mae Frank yn treulio blynyddoedd gorau'i fywyd mewn rhyw hen gwt budur, mewn twll o le fel Westerham. A Maureen, ble bynnag mae hi i fyny tua'r Gogledd 'na. Beth bynnag ydi barn rhywun, mae gan bawb hawl i'w mynegi hi, a paid ti byth ag anghofio hynny.'

Ond dydw i ddim yn deall eto chwaith.

Dydd Mercher, Awst 21

A dyma rywbeth arall o'r papur. Bob wythnos, mae 'na ryw fath o lys, sy'n cael ei alw'n dribiwnlys, lle mae gwrthwynebwyr cydwybodol yn gorfod egluro pam nad ydyn nhw eisiau ymladd. Roedd pwy bynnag oedd o flaen y llys y tro hwn yn dweud ei fod yn heddychwr o Gristion, ac ar fin mynd i'r Coleg Beiblaidd.

Rydw i'n meddwl mai celwydd oedd hynny, ond fe lwyddodd i daflu llwch i'w llygaid a chael ei roi ar yr hyn maen nhw'n ei alw yn ddyletswydd '*non-combatant*' yn unig. Roedd Mam yn cytuno, ac yn dweud fod merched yn arfer rhoi plu gwynion i ddynion oedd yn gwrthod ymladd yn ystod y Rhyfel Mawr, i ddangos mai llwfrgwn oedden nhw. Ond roedd hi'n credu mai ystyr '*non-combatant*' ydi na fyddai'n rhaid iddo danio gwn. Mae'n ddigon posibl mai cael ei anfon i'r ffrynt fydd ei hanes o, fel dyn ambiwlans.

Yn ddiweddarach, mi ddechreuais i feddwl sut deimlad fyddai cael galwad i'r fyddin, ac mor ofnus fyddwn i petai hynny'n digwydd i mi.

Ond mae'n rhaid i bawb wneud ei ddyletswydd,

wedi'r cyfan, on'd oes? Fel Frank a Maureen! Er, mi fyddai'n dda gen i pe baen nhw ddim yn gorfod gwneud.

Yn ystod hyn i gyd, mae Shirl yn cael amser da. Roedd hi allan efo Alec eto neithiwr. I fyny yn y Palais, yn dawnsio tan hanner awr wedi deg. Mi welais i fel roedd Mam a Dad yn edrych ar ei gilydd pan adawodd hi. Roedd hi'n grand o'i cho – lipstic, sanau neilon a'r cwbwl.

'Ein merch ni oedd honna, Beat?' meddai Dad. 'Mae hi'n bictiwr, 'd ydi?'

'Os w't ti'n deud,' atebodd Mam, gan bletio'i gwefusau. 'Does gen i ond gobeithio 'i bod hi'n gwybod be mae hi'n 'i 'neud.'

Diddorol!

Dydd Mawrth, Awst 27

Pan o'n i wrthi'n ciwio am fananas yn y siop ffrwythau, yn sydyn reit dyna andros o stŵr yr ochr arall i'r ffordd, a phawb yn y ciw yn troi i edrych. Roedd dau ddyn yn dal un arall gerfydd ei freichiau. I bob golwg, roedden nhw'n ceisio ei fartsio i lawr at y cloc, nes i blismon ddod atyn nhw, a'u stopio. Yna, roedd 'na dipyn go lew o weiddi a phwyntio bysedd, a'r un dyn yn dal ati i geisio dyrnu'r ddau arall. Aeth helmed y plismon ar sgiw dros ei lygaid, ac fe ddechreuodd pobl biffian chwerthin.

Roedd Rosa Jacobsen, oedd yn arfer mynd i'r un ysgol â fi, yn loetran ar y palmant ac yn llygadu be oedd yn digwydd.

'Haia, Rosa,' meddwn i. 'Be sy'n mynd ymlaen?'

'Maen nhw'n credu 'i fod o'n *fifth columnist* neu rwbath.'

Roedd y geiriau'n rhai newydd i mi. 'A be ma' hynny'n feddwl?'

'Rhyw fath o ysbïwr dros yr Almaen sydd wedi bod yn byw yma a gwneud difrod. Chwythu pethau i fyny ac ati.'

'Sut maen nhw mor siŵr?' gofynnais i Rosa.

'Be wn i?' meddai, gan godi'i hysgwyddau, yn siomedig rŵan nad oedd neb yn cael ei ddyrnu. 'Siarad efo acen wahanol oedd o, debyg.'

Roedd hynny'n canu cloch, gan fod y *trydydd* peth y bu i mi ei ddarllen yn y *Kentish Mercury* yn sôn am offeiriad o'r enw Schwabacher (neu rywbeth tebyg). Roedd o wedi bod yn gweithio mewn eglwys yn Blackheath am flynyddoedd, ond wythnos yn ôl cafodd ei anfon i ffwrdd i wersyll, tebyg i garchar, dim ond am fod ei dad yn Almaenwr.

Go brin y gallai offeiriad fod yn ysbïwr, yntê? Mae'r byd yn mynd yn fwy dryslyd bob dydd.

A be o'n i'n ei wneud yn ciwio am fananas, meddwch chi? Mae'n beth od, ond fyddai neb o'n teulu ni wedi cyffwrdd banana cyn y rhyfel. Gynted â bod si'n mynd o gwmpas fod Harrold's wedi derbyn rhai bocsys ohonyn nhw, rydan ni i gyd yn ciwio fel pethau gwylltion er mwyn cael ein siâr. Rhaid taro tra bo'r haearn yn boeth, meddai Mam, ond rhyfel neu beidio, maen nhw'n dal i flasu'r un mor ych a fi i mi!

Mi ofynnais i i Shirl sut noson gafodd hi efo Alec, ond doedd hi ddim yn fodlon dweud.

Dydd Gwener, Awst 30

Neithiwr, roedd pob man yn llonydd ac yn glir. Wrth iddo gychwyn am ei shifft nos, edrychodd Dad i fyny i'r awyr a dweud, yn ddifrifol, 'Os ydyn nhw am ddod, noson fel heno fydd hi.'

Ac yn siŵr i chi, fe ganodd y rhybudd cyntaf ychydig funudau wedi naw. Roedd Mam allan, yn safle'r ARP, a Shirl, Tom a finna yn swatio yn y cwt mochel efo Chamberlain. Gan ei bod hi'n noson mor glir, roedd hi'n oer hefyd, ac roedden ni'n falch ein bod wedi mynd â blancedi a chotiau efo ni.

Cyn pen dim, roedd dannedd Shirl yn clecian. 'Nefi wen!' meddai. 'Sut le fydd yma ganol gaea? Alla i ddim teimlo bodiau 'nhraed o gwbwl.'

Mi allwn i weld fod Tom ar fin agor ei geg i ddweud rhywbeth clyfar pan glywson ni'r ffrwydrad cyntaf, ac yna ddau ffrwydrad arall ar ei gwt; rhyw sŵn trwm, ond uchel hefyd. Roedd Chamberlain yn moeli'i glustiau. Rhoddodd un chwyrnad hir cyn cychwyn am ddrws yr Anderson, ond mi lwyddais i'w ddal yn ôl.

'Dduw mawr, be oedd hwnna?' ebychodd Shirl.

Roedd wyneb Tom fel y galchen yng ngolau'r gannwyll, ei lygaid yn fawr ac yn llawn ofn.

Mi glywais fy hun yn dweud, 'Mae o wedi dechra.'

Fe glywson ni'r bomiau'n syrthio cyn clywed rwmblan yr awyrennau, ond doedden nhw ddim uwch ein pennau ni, ac mi fûm i mor hunanol â diolch i Dduw nad oedden nhw'n dod ddim nes. Yna, fe ddechreuodd ein gynnau ninnau danio gan dasgu bwledi tuag at yr awyrennau bomio.

'Pa mor agos ydyn nhw?' holodd Tom, mewn llais crynedig.

'Milltiroedd i ffwrdd,' meddai Shirl, wedi sadio rhywfaint, ac yn ceisio swnio'n hyderus. Ond cyn gynted ag y dwedodd hi hynny, fel petai i'w rhoi hi'n ei lle, dyna ddau ffrwydrad arall, yn llawer nes y tro yma. Cyfarthodd Chamberlain yn uchel. Erbyn hynny, fe allen ni glywed clychau sawl injan dân hefyd, a rhagor o sŵn tanio gwyllt.

Yna, distawodd grŵn yr awyrennau. Roedd y tri ohonon ni'n dal ein hanadl ac yn meddwl tybed beth fyddai'n digwydd pe baen nhw'n dod yn ôl. Ond er bod y gynnau'n dal i glecian, fe roddodd y caniad diogelwch un nâd hir mewn chwarter awr, ac i mewn â ni i'r tŷ i wneud paned o de a cheisio cynhesu.

'Gobeithio fod Mam a Dad yn iawn,' meddwn i, mewn llais cryg.

Ac meddai Shirl, dan daro'i bysedd ar fwrdd y gegin ac edrych arna i, 'Ia. Dyna ydw i'n 'i obeithio, hefyd.'

Dydd Sadwrn, Awst 31

Fe ddwedodd Dad wrthon ni amser te fod y bomiau wedi disgyn wrth ymyl stad o dai, yn agos i Downham. Mae hynny filltiroedd i ffwrdd! Roedd brigâd dân Lewisham wedi cael ei galw yno, ond heb fod angen. Doedd neb wedi brifo, a'r unig niwed oedd ychydig o dyllau mawr yn y caeau chwarae. Chwerthin wnaeth Dad, gan ddweud y bydd yn rhaid i Hitler wneud yn well na hynny. Ond mi fedrwn i weld mai ceisio bod yn ddewr yr oedd o, er mwyn Mam, a'i bod hithau'n poeni tybed oedd hi wedi gwneud y peth iawn drwy fynd i weithio, a'n gadael ni i ymdopi.

'Mae pob dim yn iawn, Mam,' meddwn i, a gafael yn ei llaw ar draws y bwrdd.

Dydd Mercher, Medi 4

Un peth da ynglŷn â'r rownd bapur ydi fy mod i, pan fydd hi'n dawel yn y siop, yn cael cip yn slei bach ar y papurau a'r cylchgronau na fyddwn ni'n eu derbyn gartref. Rydw i'n gorfod gofalu peidio'u crychu na'u rhwygo nhw, neu mi gawn i lond clust gan Mr Lineham.

P'un bynnag, alla i ddim cofio lle y darllenais i hynny, ond yn ôl pob golwg mae 'na le dychrynllyd yn y llochesi cyhoeddus oherwydd yr holl chwyrnu. Digon naturiol, debyg.

Yn ein teulu ni, mae Mam yn dueddol o chwibanu trwy'i dannedd gosod a Shirl yn gwneud sŵn fel mochyn yn rhochian. Ei hadenoids hi sy'n achosi hynny, meddai Mam. Ond Dad ydi'r gorau, neu'r gwaethaf, o'r cwbwl. Mae o'n gwneud gymaint o sŵn â band y Morlu Brenhinol. Felly, does 'na fawr o obaith gallu cysgu yn ein cwt mochel *ni*, os ydi pawb yno.

Tybed sut beth fyddai ceisio cael rhywfaint o gwsg mewn gorsaf dan-ddaear, yn llawn o bobl na wyddoch chi ar y ddaear pwy ydyn nhw? A phe baech chi angen mynd i'r tŷ bach, gorfod sleifio y tu ôl i ddarn o ganfas ar y platfform a gwneud mewn bwced? Wel, mae cannoedd yn gwneud hynny bob nos. Ac fel mae Mam yn dweud, mae yna rywun bob amser yn waeth allan na chi'ch hun.

Dydd Sul, Medi 8

Rydw i'n ceisio ysgrifennu hyn yn yr Anderson. Gan nad oes yma fawr o olau a finna yn fy nyblau mewn cornel, wn i ddim fydda i'n gallu gwneud unrhyw synnwyr ohono'n nes ymlaen. Mae'n hanner awr wedi chwech fin nos, ond rydan ni wedi bod yma dros awr yn barod.

Rydw i'n teimlo'n fychan ac yn ofnus, ac wedi blino'n

lân. Chafodd yr un ohonon ni fawr o gwsg neithiwr. A dweud y gwir, mi dw i'n meddwl mai ddoe oedd diwrnod gwaetha 'mywyd i.

Roedd pob dim yn iawn tan y pnawn. Fe gawson ni dywydd ardderchog drwy gydol yr wythnos ddiwethaf – ddim rhy boeth, ond yn glir a ffres. Roedd Dad wedi cael diwrnod rhydd ac i ffwrdd â fo, dan chwibanu'n hapus, i chwarae criced efo'i fêts ym Mharc Crofton. Dydi o'n cael fawr o gyfle i wneud hynny'r dyddiau hyn.

Yn y bore, roedd Mam wedi trefnu gêmau i'r rhai bach yn ysgol Ffordd Hengist ac mi es i efo hi, i helpu. Yna, fe aeth Tom a finna i lawr i'r farchnad ar ôl cinio. Hyd yn oed os nad ydach chi'n prynu dim, mae'n hwyl gwrando ar y masnachwyr, pob un â'i gleber ei hun, yn union fel y digrifwyr yn yr Hippodrome. Mae un ohonyn nhw'n dweud jôcs am ei fam-yng-nghyfraith o fore gwyn tan nos. Mwya'n y byd mae rhywun yn eu clywed, mwya digri ydyn nhw. Weithiau, mi fydd yna tua hanner cant o bobl yn sefyll o gwmpas, yn rowlio chwerthin. Ond fyddwn i ddim yn trystio yr un o'r stondinwyr ymhellach nag y gallwn i eu taflu nhw.

Fe gafodd pawb sioc pan ganodd y seiren. Mae'n rhaid mai newydd droi hanner awr wedi pedwar oedd hi.

Rydan ni wedi cael cymaint o rybuddion diangen fel bod pobl yn dechrau cael llond bol ar hynny, a'r cwbwl allech chi ei glywed oedd rhyw fath o fwmian dig ymysg y dyrfa a'r stondinwyr. Wrth gwrs, mae 'na wastad rai pobl sy'n mynd i banig ac yn rhuthro am gysgod yn syth bìn, ond y tro yma, gan fod y prynhawn bron ar ben a'r tywydd mor braf, roedd y rhan fwyaf yn gyndyn o bacio a mynd adref.

Ro'n i newydd ddweud wrth Tom, 'Tyd yn dy flaen 'ta, mae'n well i ni fynd . . .' pan welais i rai pobl yn pwyntio i'r awyr uwchben Eltham, i gyfeiriad y dwyrain.

Roedd yno batrwm-V o groesau arian yn disgleirio yn yr haul. Mae'n rhaid fod tua ugain o awyrennau yn hedfan dros Llundain.

'Lle mae'r blincin RAF pan mae'u hangen nhw?' gwaeddodd rhywun.

Roedd pobl yn dechrau rhuthro am gysgod erbyn hynny, a'r stondinwyr yn gwthio llestri a sosbenni i focsys a bagiau, yna'n rhwygo polion metal y stondinau oddi wrth ei gilydd ac yn eu taflu ar lawr nes eu bod yn clecian.

Fe redon ni yr holl ffordd yn ôl i Ffordd Summerfield, a hyd yn oed cyn i ni gyrraedd rhif 47 fe allen ni glywed sŵn pell y ffrwydrad cyntaf. Roedd Mam yn aros wrth y drws i'n hysio ni i lawr yr ardd ac i'r Anderson. Yno'n poeni ynglŷn â Dad a Shirl y buon ni am yr awr a hanner nesaf.

Am hanner awr wedi chwech, pan ganodd y caniad

diogelwch, dyna ni'n cropian allan dan rwbio'n llygaid, gan fod y golau'n ein dallu ni.

Heibio i'r gerddi, wrth ymyl y rheilffordd, mae'r tir yn eitha gwastad cyn belled ag afon Tafwys rhwng Blackheath ar un ochr a Lewisham Hill ar y llall. O gyfeiriad yr afon, roedd colofn enfawr o fwg dieflig ac arswydus yn tonni i'r awyr, yna'n rowlio'n araf yn ôl arno'i hun, yn ddu ar y gwaelod ac yn troi'n llwyd at y brig.

'Nefoedd fawr!' gwaeddodd Mam. 'Y dociau, mae'n rhaid!' Ac yna, fel petai o'n bersonol wedi gallu gwneud rhywbeth ynglŷn â'r tân anferth, meddai hi'n flin, 'Ble gebyst mae'ch tad? Fo a'i griced!'

Fel digwyddodd hi, roedden ni'n cyrraedd y tŷ yr un pryd, ni drwy'r drws cefn a Dad drwy'r drws ffrynt. Roedd o'n anadlu'n drwm a'i wyneb yn fflamgoch.

'Well . . . i mi . . . fynd . . .' meddai, yn fyr ei wynt, gan daflu'i ddillad criced gwynion o'r neilltu. 'Mi fyddan . . . angan . . . pob un wan jac.'

Ond cyn iddo hyd yn oed adael y tŷ, roedd y seiren yn sgrechian unwaith eto, a dyna ni'n sgrialu'n ôl i'r Anderson yn llwythog o lyfrau, croeseiriau, teganau a blancedi.

Roedden ni yno tan bump o'r gloch y bore, mwy neu lai, a heb allu cysgu winc. Fe gawson ni ryw doriad bach yn ystod y min nos, yn fuan wedi iddi ddechrau tywyllu.

Roedd Shirl efo ni erbyn hynny, wedi dianc nerth ei thraed o'r lloches gyhoeddus wrth ymyl Chiesman's.

'Mae'r lle'n drewi'n sobor,' meddai, gan grychu'i thrwyn ac ysgwyd ei phen i geisio cael y drewdod o'i gwallt. 'Mi dw i'n siŵr nad ydi hannar pobol Lewisham byth yn molchi.' Yna, dyna hi'n tynnu'i gwynt ati ac yn dweud, 'Drychwch ar hynna 'ta!'

Roedden ni'n sefyll yn yr ardd, yn syllu tuag at yr afon unwaith eto. Er ein bod ni'n gallu clywed sŵn ambell gar a chlychau sawl injan dân ar eu ffordd i Deptford, roedd hi'n ddigon tawel erbyn hynny i ni allu clywed anifail yn siffrwd drwy'r llwyni uwchben y rheilffordd. Mae llwynogod i'w cael yno weithiau.

Ond bellach, lle bu'r mwg, roedd yr awyr yn un briw coch, llidiog. Er ein bod ni dair neu bedair milltir o'r fflamau, mi fedrwn i'n hawdd fod wedi darllen y papur roedd Mam yn ei ddal yn eu golau nhw.

'Mae hyn fel diwedd y byd,' meddai Mam, yn ara bach.

'Druan ohonyn nhw,' meddai Shirl.

'Dyna lle mae Dad?' holodd Tom, mewn llais bach.

'Fo a phob dyn tân yn Llundain, siŵr gen i,' atebodd Mam, gan roi ei breichiau am Tom, i'w gysuro. 'Am a wyddon ni, fe all y ddinas i gyd fod yn wenfflam. Y fath wastraff!'

Yn nes ymlaen, wedi i Mam fynd ar ddyletswydd, fe

allen ni glywed grŵn cyson awyrennau uwchben. Mae'n brofiad erchyll, ac fe allwch deimlo'ch tu mewn yn corddi nes ei fod o'n brifo. Ro'n i'n gallu gweld bysedd Shirl. Roedd ei hewinedd wedi eu cnoi i'r byw, ei dwy law wedi eu gwasgu'n dynn, a'r bysedd yn gwau am ei gilydd. Mae'n siŵr ei bod hi tua thri o'r gloch pan gafodd llwyth o dair bom ei ollwng. Roedd eu sŵn wrth ddisgyn drwy'r awyr fel sŵn llenni'n rhwygo, ac yn nes aton ni na dim roedden ni wedi'i glywed o'r blaen. Y tu hwnt i gyfarth erbyn hyn, roedd Chamberlain wedi colli arno'i hun, yn crynu'n ddilywodraeth ac yn nadu'n druenus.

Amser brecwast, roedden ni i gyd yn wyn fel y galchen ac yn dal i grynu. Doedd Mam ddim am drafod y noson cynt. Roedd hi'n stwna o gwmpas y tŷ, yn paratoi stiw, yn tynnu llwch lle nad oedd llwch i'w gael, ac yn poeni ynglŷn â Dad.

Y tu allan, roedd popeth yn ymddangos yn rhyfedd iawn. Pe baech chi'n edrych i un cyfeiriad, roedd o fel pob bore Sul heulog arall, ar wahân i'r ffaith fod pawb yn siarad mwy nag arfer, yn pwyso ar ffensys a giatiau. Yr ochr draw i'r stryd, mi fedrwn i weld Mrs Maclennan a Mrs Nott yn sgwrsio fel pe baen nhw'n hen ffrindiau. Roedd hynny'n beth od, gan fod pawb yn gwybod nad ydi'r ddwy wedi bod ar delerau ers blynyddoedd. Pe baech chi'n edrych y ffordd arall, roedd y cwmwl mwg uwchben yr afon yn eich hatgoffa chi o'r hunllef yr oeddech chi newydd fod trwyddo.

Cyrhaeddodd Dad adref ganol dydd, wedi ymlâdd. Ysgydwodd ei ben mewn anobaith. 'Dydw i erioed wedi gweld dim byd tebyg, Beattie,' meddai, gan blethu'i fysedd am ei gwpan. 'Mae'r lle'n llosgi fel pwll uffern. Yr holl olew 'na, ti'n gweld. Dydw i ddim yn meddwl y gallwn ni byth ddiffodd y tân.'

Dydd Iau, Medi 12

Mae'r un peth yn digwydd bob nos rŵan. Bomiau a mwy o fomiau, a'r rheiny'n dod yn nes o hyd. Cafodd tŷ yn Ffordd Sandringham, y stryd nesaf ond un i Summerfield, ei daro neithiwr. Mae hyn yn fy nychryn i weithiau ac yn fy ngwylltio i dro arall. Dydi'r Almaenwyr ddim fel pe baen nhw'n malio pwy sy'n cael ei ladd. Be sy'n mynd drwy feddyliau'r peilotiaid pan maen nhw'n gollwng eu bomiau? Os oes ganddyn nhw wragedd a theuluoedd, sut y gallan nhw fynd ati i geisio lladd plant pobl eraill?

Mi alla i ddeall pam y maen nhw eisiau bomio ffatri sy'n cynhyrchu gynnau, neu geisio taro gorsaf drydan, hyd yn oed. Ond pa wahaniaeth fyddai o'n ei wneud i'r rhyfel pe baen nhw'n lladd Mam, neu Tom? Neu fi?

Yn y diwedd, fe lwyddon nhw i ddiffodd y rhan fwyaf o'r tanau yn y dociau, ar waetha'r hyn ddwedodd Dad, ond fe gymerodd hynny rai dyddiau. Yn ôl Dad, llosgi'i hun allan wnaeth y tân, fwy neu lai.

Mae bywyd wedi mynd yn ddigon od, fel petai wedi troi a'i ben i lawr. Y bore cynnar ydi'r amser gorau i gysgu, a gan fod Mam a Dad yn gorfod bod allan drwy'r nos yn eithaf aml, maen nhw'n ceisio cael cyntun bach yn ystod y dydd. Oherwydd hynny, rydw i'n gorfod gwneud mwy fyth o olchi llestri a thacluso. A'r rhan fwyaf o'r siopa hefyd! Mi fydd Tom, hyd yn oed, yn helpu o dro i dro. Mae Mam yn dweud mai dyma'n cyfraniad ni i'r rhyfel, ac o'i roi o fel'na allwn ni ddim cwyno'n hawdd.

Dydd Llun, Medi 16

Daeth Mam adref nos Wener a golwg wedi cynhyrfu arni. Roedd ei llygaid yn gochion fel pe bai hi wedi bod yn crio. Gan eu bod nhw'n brin o wardeniaid yn New Cross, roedd hi wedi mynd draw yno ar ei beic, i helpu.

Cafodd rhes o dai teras eu taro yn gynnar fin nos – eu chwythu'n ddarnau, meddai Mam.

'Steddwch, Mam. Mi wna i banad i chi,' meddwn i. Wrth iddi afael yn y gwpan, roedd ei dwylo hi'n crynu'n afreolus. Ro'n i'n teimlo'n hollol ddiymadferth.

'Wedi cael sioc ydw i, 'na'r cwbwl, 'mach i,' meddai. 'Diolch i ti am y te. Mi w't ti'n enath dda.' A dyna hi'n dechrau beichio crio.

Fedrwn i wneud dim ond eistedd a syllu. Do'n i *erioed* wedi gweld Mam fel hyn. Roedd hi'n gwylltio, ond byth yn crio. Pan fyddai Dad a hithau'n mynd i'r pictiwrs, roedd hi'n hen jôc ymysg y teulu mai Dad oedd yr un mwyaf tebygol o grio.

Ymhen munud neu ddau, meddai hi, 'Ddylwn i ddim fod yn dweud hyn wrthat ti, Edie, ond mae'n rhaid i mi gael siarad efo rywun neu mi a' i o 'ngho.' Dyna hi'n llyncu'i phoer ac yn dweud, 'Y plant, ti'n gweld. Roeddan nhw'n trio cael y plant allan o'r tai.'

Ro'n i'n deall rŵan. Meddwl roedd hi y gallai hynny fod wedi digwydd i Tom neu fi.

'Y petha bach. Mi dw i'n gobeithio'r nefoedd nad oeddan nhw ddim callach be oedd yn digwydd.' Roedd hi'n crio eto. 'Roeddan ni'n gallu clywad babi'n crio o dan y rwbal lle'r oedd drws yn arfar bod. Er bod yna agoriad i fynd drwodd, roedd y dynion yn rhy fawr. Doeddan nhw ddim am ofyn i mi, meddan nhw, ond ro'n i'n gwybod be oedd raid ei wneud. Mi fedrais i wasgu i mewn yn iawn, ond mi fuo fo farw yn fy mreichia i. Druan bach.'

'O, Mam,' meddwn i, a rhoi 'mreichiau amdani. Wyddwn i ddim beth arall i'w wneud. Fe ddaeth ati ei hun ymhen tipyn a gofyn, 'Lle mae Tom?'

'Wn i ddim,' meddwn i. Roedd o wedi mynd allan i chwarae efo Jim Simmonds rhyw awr ynghynt.

Fe aeth Mam yn gandryll. '*Pam* nad wyt ti'n gwybod?' gwaeddodd. 'I be wyt ti'n da yma, meddat ti? Mi wyt ti'n ddigon hen i gymryd peth cyfrifoldab. Fedri di ddim gadael iddo fo fynd i grwydro ar ei ben ei hun. Mi fydda rhywun yn meddwl dy fod ti wedi cael dy eni'n benbwl. Dos i chwilio amdano fo. Ac os nad ydi o'n ôl mewn chwartar awr, rhyngoch chi'ch dau a'ch tad.'

Es i ddim i ddadlau. Roedden ni'n deall ein gilydd. Roedd Mam wedi cael diwrnod dychrynllyd, ac os oedd hi am fy nefnyddio i fel cocyn hitio mi fedrwn i ddygymod â hynny am y tro. Fel ro'n i'n amau, yn yr ali yr oedd Tom, yn cicio pêl o gwmpas efo Jim. Edrych yn syn arna i wnaeth o – yn euog, rywsut – ac fe wthiodd Jim rywbeth yn ddyfnach i'w boced rhag i mi ei weld.

Mae 'na rywbeth yn mynd ymlaen rhwng y ddau yna. Dydi Jim ddim yn ddylanwad da ar Tom.

Dydd Iau, Medi 19

Dydi Mam ddim wedi dweud gair yn fwy nag sydd raid iddi ers y penwythnos. Ond mae'r diffyg cwsg, a gorwedd yn y cwt mochel bob nos yn meddwl tybed ai hwn fydd ein 'tro ni', yn dweud arnon ni i gyd, o ran hynny. Dyna fel mae pobl yn dechrau siarad erbyn hyn, fel petai'n anorfod ein bod ni i gyd yn siŵr o'i chael hi, yn hwyr neu'n hwyrach.

Er bod Dad yn gwneud ei orau i godi'n calonnau ni, mae'r blinder o orfod gweithio shifft ar ôl shifft i'w weld yn ei lygaid. Mae o wastad wedi bod yn gryf ac yn iach, ond rŵan mae o mor stiff a phoenus fel mai prin y gall o godi o'i gadair yn y boreau.

Mae'n rhaid fod Dad wedi gweld pethau dychrynllyd yn ei amser. Go brin y gall dyn tân osgoi hynny. Dydi o erioed wedi sôn am y peth, nac yn debygol o wneud, ond tybed faint rhagor all o, hyd yn oed, ei ddioddef?

Dydi Shirl ddim help. Roedd hi wedi hanner nos arni'n dod i mewn nos Fercher. Wedi bod mewn parti efo'i ffrindiau o Chiesman's, meddai hi. Un ffrind arbennig, greda i. Yr Alec 'na, yntê?

Rhoddodd Dad bryd o dafod iddi bore trannoeth, a'i rhybuddio nad ydi hi byth i wneud hynna eto.

Roedd Shirl yn ffwr-bwt iawn. 'Fe allwn ni i gyd fod yn farw fory,' meddai. 'Bwytewch, yfwch, a byddwch lawen, dyna ydw i'n ei ddweud. Be ydi'r broblem, cyn belled â bod 'na neb yn cael ei frifo?'

'Mae 'na sawl ffordd o gael dy frifo, 'ngenath i,' meddai Dad yn swta. 'Mi wyt ti'n ddigon hen i wybod hynny.'

Dydd Sadwrn, Medi 21

O'r cychwyn cyntaf, roedd Mam yn wahanol y bore 'ma, yn llawn bywyd ac yn setlo pawb yn ôl ei harfer, fel petai hwn yn ddiwrnod newydd heulog, braf yn hytrach na'r un gwlyb a gwyntog oedd ganddon ni.

'Mae'n rhaid i fywyd fynd yn ei flaen,' meddai. 'Dyna mae Hitler eisiau, yntê – ein cael ni i gyd â'n pennau yn ein plu ac yn meddwl na fedrwn ni ddim ymdopi. Ond mae'n rhaid i ni ymdopi! "Peidiwch â gadael i'r cnafon gael y gorau arnoch chi." Dyna fydd fy adnod i am yr wythnos.'

Ac i ffwrdd â hi efo'i pholish *Mansion House* i gwyro'r stepen ffrynt yn y glaw. Dyna Shirl, nad ydi hi'n gorfod dechrau gweithio mor gynnar ar Sadyrnau, yn codi un ael, yn drwm o ôl pensel, arna i.

Roedd llythyr ar y silff ben tân, wedi'i wthio y tu ôl i'r ci tsieni, ffefryn Mam.

Rhoddodd Shirl glec iddo efo'i hewin wrth fynd heibio. 'Oddi wrth Yncl Fred,' meddai dan ei gwynt. 'Go brin ei fod o'n newydd da.'

Ond os ydi hynny'n wir, sut mae Mam wedi llwyddo i ddod ati'i hun mor dda?

Dydd Mawrth, Medi 24

Heddiw, roedd Mam wedi trefnu fy mod i'n helpu i weini cinio yn neuadd yr eglwys i'r bobl y cafodd eu cartrefi eu bomio. Y WVS (*Women's Voluntary Service*) sydd wrth y llyw, a dydyn nhw ddim yn fyr o adael i chi wybod hynny! Maen nhw'n griw o hen dyrcod, ond mae'n debyg fod eu calonnau nhw'n y lle iawn.

Does gan y rhan fwyaf o'r bobl oedd yno ddim byd ar ôl. Dim cartref, dim dodrefn, dim dillad, dim ond yr hyn maen nhw'n eu gwisgo. Pob dim wedi'i ddinistrio a'i losgi. Fe fyddai rhywun yn meddwl y bydden nhw'n ddigalon, ond roedden nhw'n clebran fel 'dwn i ddim be uwchben eu twmplenni. Maen nhw'n cael bara a jam yn y boreau a'r min nosau a phryd poeth ganol dydd. I gyd am ddim. Wedi iddyn nhw orffen bwyta fin nos, maen nhw'n gorwedd ar y gwlâu plyg, i geisio cael ychydig o gwsg rhwng y cyrchoedd awyr.

Pan ges i seibiant bach, dyna fi'n closio at Mam ac yn ei holi hi ynglŷn â'r llythyr ar y silff ben tân. Fe syrthiodd ei gwep hi am funud, yna, meddai hi'n sydyn, 'Mi welodd Shirl fi'n ei agor o, do? Dydi'r enath yna'n methu dim.' Petrusodd am eiliad cyn dweud, 'Waeth i mi heb â chelu'r peth oddi wrthat ti, Edie. Mi fuo Modryb Mavis farw ddydd Iau diwetha. Fe aeth hi'n sydyn iawn yn y diwadd.'

'Mae hynny'n drist iawn,' meddwn i, gan ymladd i gadw'r dagrau'n ôl. 'Ydach chi'n olreit?'

'Mi wyddwn mai dyna fydda'n digwydd,' atebodd Mam. 'Ro'n i wedi gwthio'r peth i gefn fy meddwl, rhwng bob dim. Yna, pan gyrhaeddodd y llythyr, dyna fi'n dweud wrtha i fy hun, Wel, mae'n rhaid i ni drio dal ati tra medrwn ni, on'd oes? Fe ddaru hynny godi 'nghalon i, mewn rhyw ffordd od. Wyt ti'n deall?'

'Mi dw i'n meddwl 'mod i,' meddwn i.

Dydd Iau, Medi 26

Pan gyrhaeddodd Shirl ei gwaith yn Chiesman's ddoe, roedd un rhan o'r siop wedi cael ei ddymchwel gan fom y noson cynt. Roedd y ffenestri i gyd yn dipiau, a darnau o wydr ar chwâl hyd y lle. Doedd gan Chiesman's ddim gobaith gwerthu llestri y diwrnod hwnnw, na hetiau nac esgidiau chwaith, gan nad oedd rhai ar gael – rhai cyfan, o leia.

Pan ofynnon ni i Shirl, 'Be 'naethoch chi', dyna hi'n dweud, â gwên ar ei hwyneb, 'Roeddach chi'n iawn, Mam. Fedrwn ni ddim gadael i'r cnafon gael y gorau arnon ni. Fe wnaethon ni hynny o glirio oedd yn bosib. Roedden nhw wedi'n rhybuddio ni i beidio gadael cwsmeriaid i mewn, er nad oedd y lle'n debygol o syrthio am ein pennau ni. Felly, tra oedd y seiri'n gosod parwydydd coed, dyna fi a'r lleill yn cario byrddau allan ar y palmant ac yn rhoi arwydd mawr i fyny yn dweud: "CHIESMAN'S: YN FWY AGORED HYD YN OED NAG ARFER". Roedd pobol yn gweld hynny'n ddigri, ac fe 'naethon ni geiniog neu ddwy hefyd!'

Chwerthin efo Shirl wnaeth Mam a fi, ond dydi o ddim mor ddigri, erbyn meddwl.

Dydd Mawrth Hydref 1

Roedd angladd Modryb Mavis ddoe, ond dim ond Mam aeth i lawr i Tonbridge. Ro'n i eisiau mynd, hefyd, ond fe ddwedodd Mam fod yn rhaid i rywun ofalu am Tom, gan fod Dad yn gweithio. A fi oedd yr un i orfod gwneud hynny, wrth gwrs!

Cafwyd cyrch awyr trwm nos Sul. Mae'r bomiau mawr yn ddigon drwg, ond mae'r bomiau tân yn waeth, os rhywbeth. Maen nhw'n debyg i ganiau culion tua deunaw modfedd o hyd, ac er nad ydyn nhw'n achosi difrod drwy ffrwydro, dydw i ddim yn credu, petai un yn syrthio arnoch chi o 10,000 o droedfeddi, y byddai hynny'n gwneud fawr o les i chi. Cynnau tân ym mhobman maen nhw, a dydi'r Gwasanaeth Tân ddim yn gallu dod i ben â hynny, yn ôl Dad. Ar nosweithiau gwaeth na'i gilydd, wyddan nhw ddim ble i ddechrau. Mae'r Almaenwyr yn gollwng cannoedd o'r bomiau hyn ar y tro.

Mae yna fomiau taro'n-hwyr hefyd, sy'n annymunol iawn, oherwydd eu bod nhw'n achosi llanast wrth lanio. Yna, pan mae pobl yn dod yno i weld maint y difrod, mae'r bom yn chwythu i fyny, gan fynd â phwy bynnag sydd o fewn cyrraedd i'w chanlyn. Bob tro y bydd Mam a Dad yn gadael y tŷ rydw i'n mynd i banig, ofn na ddôn nhw ddim yn ôl.

Wedi i Mam adael, yn edrych yn dlws a digalon yn ei ffrog ddu, bu Tom yn tin-droi o gwmpas y tŷ am sbel, wedi syrffedu'n lân, a heb godi bys bach i helpu efo'r glanhau. Yna, tua un ar ddeg o'r gloch, dyna Jim Simmonds yn curo ar y drws, i nôl Tom i fynd allan i chwarae. Fe ddwedodd y ddau mai i fyny'r ali y bydden nhw, fel arfer, yn smalio bod yn *Charlton Athletic* yn erbyn *Arsenal*. Mi rybuddiais i Tom i fod yn ôl erbyn cinio, a dim lol. A phetai o'n clywed seiren, roedd o i ddod adref y munud hwnnw.

Wel, doedd dim golwg ohonyn nhw am hanner awr wedi deuddeg ac ro'n i'n dechrau poeni, wrth feddwl be ddigwyddodd y tro diwethaf.

Do'n i ddim yn disgwyl Mam yn ôl am oriau, ond petai hi'n dod i wybod fod Tom wedi mynd i grwydro heb ganiatâd mi fyddai'n gacwn gwyllt. Efo fi yn ogystal â Tom!

Dyna roi Chamberlain ar ei dennyn a cherdded i fyny i'r ali. Roedd y lle'n wag.

'Hen gena' bach w't ti, Tom,' meddwn wrthyf fy hun. 'Pam mae'n rhaid i mi dy gael di allan o drwbwl byth a hefyd?'

Doedd wybod lle allen nhw fod. Mi wnes i gyfri yn fy

mhen o hoff fannau chwarae Tom. Y drwg ydi fod y bomiau'n newid daearyddiaeth Lewisham bob dydd, a'r Almaenwyr yn dal i greu llefydd newydd a chynhyrfus i ddenu bechgyn fel Tom. Mae o ddiddordeb i mi, hyd yn oed, bod modd gweld pethau cynefin o onglau gwahanol, os gallwch chi osgoi'r swyddogion.

Dau ddewis oedd gen i, a'r naill a'r llall yn fenter. Petai Tom yn cyrraedd rhif 47 a chael y lle'n wag, roedd perygl iddo *fo* gynhyrfu. Ond allwn i ddim *peidio* mynd i chwilio amdanyn nhw, allwn i?

I ffwrdd â fi ar drot i lawr i gyfeiriad Catford Bridge, ar draws y ffordd fawr ac ar hyd cwr y bryncyn yr ochr draw. Doedden nhw ddim yn y cae chwarae, nac y tu ôl i'r eglwys. Ymlaen â fi wedyn drwy un o'r strydoedd cefn lle gallwch chi sleifio i ardd tŷ sydd wedi'i fordio i fyny. Mae'r ardd wedi tyfu'n wyllt ac mae yno goed yr ydan ni i gyd yn mwynhau eu dringo. Dim Tom na Jim! Gan ei bod hi'n un o'r gloch bellach, mi feddyliais ei bod yn bryd i mi droi am adref, er fy mod i'n gyndyn o wneud hynny.

Croesodd Chamberlain a finna'r hen nant fudur ar waelod Ffordd Mount Pleasant. Roedd amryw o'r siediau oedd ar ei glan wedi cael eu chwalu gan ffrwydrad, a choed a rwbel ar wasgar ym mhobman. Mi glywais i lais, oedd yn swnio'n debyg iawn i un Tom, yn dod o'r ochr draw, allan o 'ngolwg i. Cododd Chamberlain ei glustiau a chyfarth i'r cyfeiriad hwnnw. Dringais i lawr yn araf a chamu ymlaen yn ofalus. Roedd pob man yn drewi'n ddychrynllyd. Draeniau ac arogl nwy yn gymysg! Gan fod yr hyn oedd yn weddill o wal frics yn fy rhwystro i rhag gweld, bu'n rhaid i mi fustachu i'w phen. Ac yn siŵr i chi, dyna lle'r oedd Tom a Jim. Ar y llawr o'u blaenau, roedd tun metal tolciog. Roedden nhw fel pe baen nhw ar fin ei ddefnyddio fel pêl droed.

'Gadwch lonydd i hwnna'r munud 'ma!' bloeddiais. 'Mi alla fod yn fom, y cnafon bach twp!'

Roedd Tom wedi dychryn allan o'i groen. Mae'n rhaid fod yr olwg oedd ar fy wyneb i wedi bod yn ddigon i argyhoeddi'r ddau, a dyna nhw'n sgrialu mynd cyn belled ag y gallen nhw oddi wrth y tun.

Mi ddwedais i wrth Jim am ddod adref efo ni i gael sglodion a phwdin reis i ginio. Cadwodd hynny'r ddau'n dawel am sbel, ond cyn pen hanner awr roedden nhw'n rhusio i fyny ac i lawr yr ardd gefn, yn cymryd arnynt fod yn *Hurricanes* a *Spitfires* ac yn saethu awyrennau'r Almaen oedd yn hedfan uwchben Kent i'r llawr. Wnes i ddim prepian wrth Mam. Doedd hynny ddim i'w weld yn deg.

Ai bom oedd hi? Wn i ddim, ond gobeithio fod hyn wedi bod yn wers i'r brawd bach hanner-pan 'na sydd gen i!

Ia, wn i! Pwdin reis! Rydw i'n fodlon ei wneud, ond wna i mo'i fwyta fo.

Dydd Gwener, Hydref 4

Wn i ddim be sy'n bod ar Tom. Fe gafodd ei ddanfon adref ddoe gan blismon, o bob dim, a chael cweir gan Mam ar ben hynny. Roedd o a Jim a rhyw blant eraill wedi bod yn chwarae o gwmpas ar droedfwrdd fan yr oedden nhw'n tybio oedd wedi mynd â'i phen iddi. Fe ddwedodd Tom wedyn fod cymaint o lwch a baw arni fel na allech chi weld dim drwy'r ffenestr flaen. Fel petai hynny'n gwneud pob dim yn iawn!

Wel, fe welodd y perchennog nhw, yn do, a Tom oedd yr un fethodd redeg yn ddigon cyflym.

Wedi iddi roi cweir iddo, dyna Mam yn ei hysio i fyny'r grisiau ac yn dweud na châi fynd allan am wythnos. Roedd hi wedi cael llond bol arno'n rhusio o gwmpas y strydoedd, meddai hi, ac wedi dod i ben ei thennyn. Doedd hi ddim am i'r cymdogion feddwl fod y Bensons yn fandaliaid. Rhag ei gywilydd yn meiddio dinistrio enw da'r teulu!

Ymhen sbel, mi es i fyny i'r llofft i geisio siarad efo Tom – ond roedd o wedi llyncu mul, ac mi rois i'r gorau iddi yn y diwedd.

Roedd Mam wedi cynhyrfu cymaint fel na allodd fynd

at ei gwaith neithiwr. Arhosodd yn yr Anderson efo ni, gan afael yn dynn am Tom drwy gydol y cyrch awyr a rhoi ar ddeall iddo ei bod hi'n ei garu er ei fod o'n hen ffŵl bach gwirion. Rydan ni wedi gwneud sachau cysgu erbyn hyn, ac mae'n eithaf clyd pan fydd pedwar ohonon ni yno. Un peth yr ydw i'n ei hoffi ynglŷn â'r lle ydi'r gymysgfa o oglau'r lamp baraffîn, gwair a phridd tamp.

Weithiau, yn ystod yr adegau prin hynny pan mae pob man yn dawel – dim gynau, dim bomiau, dim clychau tân, dim awyrennau – bron na alla i gredu ein bod ni'n cael hwyl yn gwersylla yn yr ardd fel y bydden ni cyn y rhyfel pan o'n i'n eneth fach. Ond dydi'r teimlad hwnnw byth yn para'n hir.

Dydd Sadwrn, Hydref 5

Fe ddigwyddodd rhywbeth dychrynllyd yn agos i orsaf Lewisham brynhawn ddoe. Roedd trên yn clecian i mewn o New Cross pan daniodd un o awyrennau'r Almaen, oedd yn dychwelyd o gyrch yr ochr draw i'r afon, ei gynnau arno'n gwbwl fwriadol.

Does dim amheuaeth na wyddai'r peilot yn union beth

oedd o'n ei wneud. Mae'n wyrth na chafodd neb oedd yn teithio ar y trên ei ladd. Rydw i'n gobeithio ei fod o wedi cael damwain ar y ffordd yn ôl i'r Almaen. Neu fod un o griw Frank wedi ei saethu i'r llawr. Dydi o ddim yn haeddu byw, os gofynnwch chi i mi.

Roedd golwg ofnadwy ar Shirl y bore 'ma, efo cylchoedd mawr duon o dan ei llygaid. Allwn i ddim cael gair allan ohoni, er i mi wneud fy ngorau glas i'w chael hi i chwerthin. Wedi iddi adael mi ofynnais i Mam oedd hi'n gwybod beth oedd yn bod.

'Yr Alec 'na,' ochneidiodd. 'Paid â chymryd arnat wrth Shirl fy mod i wedi sôn, ond mae'n ymddangos ei fod o wedi priodi. Ddwedodd o mo hynny wrth Shirl wrth gwrs, yn naddo? Dim ond ei chamarwain a'i thwyllo hi am wythnosau. Un o'r merched ddaru brepian! Rydw i flys mynd i Chiesman's a dweud wrtho'n union be ydw i'n ei feddwl ohono fo, yno'n y siop, yng nghlyw pawb!'

Wyddwn i ddim oedd hi o ddifri ai peidio, ond mae'n rhaid ei bod hi wedi sylwi ar fy edrychiad i.

'Wna i ddim siŵr iawn,' meddai'n ffyrnig. 'Ond mi fydda hynny'n gwneud i mi deimlo'n well. Pam mae'n rhaid i Shirley ddysgu drwy brofiad dro ar ôl tro?'

Dydd Iau, Hydref 10

Cafodd ysgol Ffordd Hengist, lle mae Mam yn gweithio, ei tharo neithiwr. Roedd y wardeniaid i gyd allan yn gofalu am bobl eraill, diolch byth, a chafodd neb ei frifo – ond mae'r lle'n llanast go iawn, yn ôl Mam. Mae yna dri llawr i'r adeilad, efo'r neuadd ar y llawr isaf a'r ystafelloedd dosbarth ar y ddau arall, ond rŵan – gan nad oes yr un nenfwd yn weddill a rhai o'r waliau braidd yn beryglus – mae Mam yn credu y bydd yn rhaid ei ddymchwel.

Rydan ni wedi cael cyrchoedd awyr bob nos ers Medi'r seithfed. Mae hynny wedi dod yn rhan o drefn pethau, fel mynd i'r ysgol neu gael brecwast. Rydw i'n teimlo weithiau ein bod ni fel anifeiliaid bach, yn swatio yn ein tyllau yn ystod y nos ac yn picio allan am rai oriau yn ystod y dydd i fwyta a thyrchu yng nghanol y llanast.

Ac mae'r llanast hwnnw'n gallu bod yn anghredadwy. Meddyliwch. Mae bom yn syrthio ar y palmant o flaen tŷ. Hyd yn oed os nad ydi hi'n lladd na brifo neb, mae'n gwneud anferth o dwll yn y ffordd ac yn tasgu rwbel a sbwriel drosti, fel nad ydi hi'n da i ddim nes iddi gael ei chlirio. Mae holl ffenestri'r tŷ yn deilchion ac efallai fod y wal ffrynt yn beryglus, felly does dim amdani ond tynnu'r tŷ i lawr. Mae'r cyflenwad trydan wedi ei golli, wrth gwrs, ac fe all fod y prif bibellau dŵr a nwy wedi torri, sy'n golygu fod yn rhaid i bawb gario bwcedi at y tapiau argyfwng ym mhen draw'r stryd er mwyn gallu glanhau eu dannedd. Os ydach chi eisiau paned o de, mae'n rhaid ei baratoi ar stôf *primus*!

Ac mae hyn yn digwydd sawl tro bob dydd yn Lewisham! Ac yn y rhan fwyaf o Lundain hefyd, yn ôl Mam a Dad.

Mae cael hwyl yn mynd yn fwy a mwy anodd bob dydd. Mae'r sinemâu yn cau o un i un. Pa ddiben sydd mewn aros yn agored os ydi'r seiren yn debygol o ganu lai na phum munud wedi i'r sioe ddechrau? Roedden ni'n arfer cael sesiynau o ganu a chwaraeon i'r plant i lawr yn yr ysgol, ond mae hynny'n hen hanes bellach. Mae'r weiarles ganddon ni, wrth gwrs, ac mi fyddwn ni i gyd yn gwrando ar *It's That Man Again* bob nos Fawrth am hanner awr wedi naw, os bydd y bomiau'n caniatáu. Rydw i'n meddwl fod Tommy Handley yn ddigri *iawn*. Mi fydd Mam yn edrych yn gam arna i ac yn dweud nad ydw i'n ddigon hen, ond does 'na fawr i chwerthin am ei ben yn y byd fel mae o, yn nagoes? Mae'n syndod o ddifri sut yr ydan ni i gyd yn gallu cadw mor siriol.

Dydd Mawrth, Hydref 15

Mae Tom wedi'i gwneud hi o ddifri'r tro yma. Ro'n i'n meddwl ei fod o'n edrych braidd yn euog pan ddaeth adref i gael ei de neithiwr. Fel rheol, mi fydd yn rhuthro i mewn, ei wallt ar chwâl, yn sŵn ac yn orchest i gyd, eisiau rhywbeth i'w fwyta, dweud wrth bawb be mae o wedi bod yn ei wneud, gofyn cwestiynau a dweud jôcs dwl. Ond ddoe, sleifio i mewn wnaeth o, a swatio mewn cornel yn edrych ar hen lyfr cartwnau sydd wedi bod ganddo ers blynyddoedd.

Yn ddiweddarach, fe gawson ni wybod pam. Daeth cnoc ar y drws, un ddigon anghyfeillgar. Mr Lineham o siop y gornel oedd yno, yn mynnu cael gweld Mr neu Mrs Benson, os gwelwch chi'n dda. Doedd o ddim yn edrych yn rhy hapus. Mae'i lygad yn rhoi plwc bach pan fydd rhywbeth o'i le, ac ar y pryd roedd o'n plycio bymtheg i'r dwsin. Roedd Mam yn hwyr yn ei chychwyn hi am ei gwaith, ac eisoes wedi cynhyrfu ryw gymaint, ond fe sychodd ei dwylo â'r cadach llestri cyn arwain Mr Lineham, oedd yn dal i blycio, i'r parlwr ffrynt.

Ro'n i wedi dychryn braidd, ac yn meddwl mae'n rhaid mai fi oedd wedi pechu. Efallai ei fod wedi galw i gwyno fy mod i'n rhy ara deg yn dosbarthu'r papurau, neu'n eu rhoi nhw'n y tai anghywir. Ond ar ôl Tom yr oedd o, nid y fi.

Ymhen tipyn, daeth Mam allan o'r parlwr yn dawel iawn a gofyn i mi, 'Lle mae Tom? Rydw i eisiau'i weld o.'

Oherwydd ei bod hi mor ddigyffro, mi wyddwn fod 'na rhyw ddrwg yn y caws.

Ond doedd Tom ddim yno. Mae'n rhaid ei fod wedi sleifio allan drwy'r drws cefn pan welodd Mr Lineham yn cyrraedd.

'Dos i chwilio amdano fo,' meddai Mam, mewn llais pendant. 'Rydan ni wedi rhoi digon o gyfla i'r hogyn 'na. Mae'n rhaid rhoi terfyn ar hyn, unwaith ac am byth!'

Felly, i ffwrdd â fi unwaith eto i ddilyn trywydd Tom drwy'r strydoedd yn y glaw, gan wybod y tro hwn ei bod yn dechrau nosi ac y gallai seiren ganu unrhyw funud.

Rydw i eisoes wedi sôn am yr ardd sydd wedi tyfu'n wyllt. Ro'n i wedi dod i'r casgliad mai yno y byddai Tom. Fe wnaethon ni ryw fath o gwt bach yno'r gwanwyn diwetha a byddai'n gwybod y gallai gysgodi yn hwnnw, am awr neu ddwy o leia. Mi ddois i o hyd iddo yn ei gwman o dan y coed, yn edrych yn fychan ac yn druenus, a'r glaw'n diferu drosto. Pan welodd o fi, swatiodd fel ci wedi cael cweir. Roedd o'n crynu cymaint fel na allai gael ei eiriau allan yn iawn.

'Be . . . sy'n mynd . . . i ddigwydd?' meddai, dan grio. 'Dydw i ddim . . . eisiau . . . mynd i . . . i'r carchar.'

Do'n i ddim am gynnig unrhyw gysur iddo ar y pryd. Wyddwn i ddim bryd hynny be oedd o wedi'i wneud, ond yn amlwg doedd o'n ddim i frolio'n ei gylch. 'Wel, mi ddylat fod wedi meddwl am hynny cyn hyn,' meddwn i, a'i halio ar ei draed. 'Be ar wynab daear wyt ti wedi'i 'neud?'

'Syniad . . . Jim . . . oedd o,' nadodd.

'O, ia,' meddwn i, 'a doedd gen ti ddim rhan yn beth bynnag oedd o, debyg?'

Ro'n i'n meddwl y byddai Mam yn gandryll pan gyrhaeddon ni'n ôl i rif 47, ond roedd hi'r un mor ddigyffro. Fe aeth â Tom i'r parlwr i ymddiheuro i Mr Lineham. Mae'n siŵr gen i ei bod hithau wedi cael rhai munudau o ddychmygu gweld Tom yn nychu mewn cell.

O'r diwedd, agorodd drws y parlwr. Camodd Mr Lineham allan i'r stryd, a gan godi ei het fach ddu i Mam am y tro olaf, meddai'n anniddig, 'Mae'n ddrwg gen i'ch poeni chi, Mrs Benson, ond . . . y . . . mi fydd o les yn y pen draw . . .'

Roedd Tom a Jim wedi bod yn y siop brynhawn ddoe. Tra oedd Jim yn prynu gwerth dimai o daffi, roedd Tom wedi pocedu cwpwl o filwyr plwm oddi ar ben arall y cownter.

Mi allwn i fod wedi dweud wrth Tom nad ydi'r hen

Lineham byth yn methu dim. Mae o wedi bod yn rhedeg y siop yna ers blynyddoedd, ac yn gwybod fod yn rhaid cadw llygad barcud pan fydd dau fachgen bach yn dod i mewn efo'i gilydd.

Am weddill y min nos, roedd Mam i weld wedi dod ati'i hun, ar wahân i'r ffaith ei bod hi wedi gorfod anfon Shirl i lawr i ymddiheuro i'r ARP unwaith eto. Ond mae gen i deimlad annifyr ym mhwll fy stumog nad ydan ni wedi clywed diwedd hyn.

Dydd Gwener, Hydref 18

Erbyn hyn rydw i'n gwybod y gwaethaf, ac mae hynny cynddrwg ag y gall o fod. Galwodd Mam fi o'r neilltu ar ôl brecwast y bore 'ma. Roedd golwg bryderus arni, fel pe bai heb gysgu'r un winc.

'Edie,' meddai, gan afael yn fy nwylo i. 'Rydw i wedi trefnu i ti a Tom fynd i ffwrdd am sbel. Mi wn i 'mod i wedi dweud na wnawn i byth mo hynny, ond dydi hyn yn da i ddim, yn nag ydi?'

Ro'n i'n llonydd gan sioc. 'Na, Mam,' meddwn i.

'Allwch chi ddim gwneud hynny. I ble byddan ni'n mynd? Efo pwy byddan ni'n aros?'

Er i mi wneud fy ngorau glas i gadw'r dagrau'n ôl, methu wnes i. Dyna hithau'n ymuno efo fi, ac am rai munudau fedrwn i wneud dim ond gafael yn dynn ynddi, a beichio crio.

'Nid y busnas yna efo Tom a Mr Lineham ydi'r unig reswm, 'mach i,' meddai, wedi i ni'n dwy dawelu rywfaint. 'Rydw i wedi cyrraedd pen fy nhennyn efo Tom, ydw wir, ond dydi hi ddim yn deg ei feio fo. Pa fath o fyw ydi hyn, yntê? Mae Tom angan toriad, a chditha hefyd. Mi dw i wedi bod yn gweld yr awdurdodau yn neuadd y dre, ac maen nhw wedi cael lle i chi yn y wlad. De Cymru, yn ymyl Aberhonddu. Ar ffarm, dw i'n credu. Mi fyddwch chi saff yno. Gorfod i mi roi pob gewyn ar waith er mwyn eich cael chi allan o Lewisham reit sydyn.'

Mi wyddwn nad oedd gen i unrhyw obaith ei chael i newid ei meddwl, ond ro'n i wedi dychryn yn ofnadwy.

'Am faint?' holais, yn gryg.

Edrychodd Mam i fyw fy llygaid i. 'Rwyt ti'n enath fawr rŵan, Edie, ac yn haeddu cael dy drin fel un. Y gwir ydi na alla i ddim dweud am faint. Ond mae pobol yn symud allan o Lewisham bob dydd ar hyn o bryd. Mae'n rhaid dy fod ti wedi sylweddoli hynny. Pwy ŵyr am ba hyd y gall Hitler ddal ati i daflu pob dim dan haul aton ni? Does 'na ddim arwydd fod y Jeris am roi'r gorau iddi.

Ac mae'r ffaith y gall pethau fod yn llawar gwaeth y gaeaf yma yn fy mhoeni i'n sobor.'

'Dydw i ddim eisiau'ch gadael chi a Dad,' llefais. 'Fedrwn i ddim diodda petai rhywbeth yn digwydd.'

'Mae dy dad yn cytuno efo fi,' meddai hi'n bendant. 'Edrych di arni fel hyn. Sut wyt ti'n meddwl y gallen ni fyw efo ni'n hunain petai un ohonoch chi'n cael ei frifo, a ninna wedi mynnu'ch cadw chi yma? Mrs Chambers oedd yn iawn, wedi'r cwbwl, er bod yn gas gen i gyfadda hynny. Mae'n rhaid i chi fynd.'

O'i roi fel yna, mae'n debyg fy mod i'n cytuno efo hi.

Dydd Llun, Hydref 21

Roedd yma le ofnadwy pan dorron nhw'r newydd i Tom. Mi allwn i daeru ei fod o wedi bod wrthi'n udo am oriau. Mae'n rhaid eu bod nhw wedi ei glywed ym mhen arall y stryd. Mi es i lawr at y siglenni efo fo tua amser te. Dyna'r unig rai yn Lewisham nad ydyn nhw wedi cael eu toddi ar gyfer yr ymgyrch ryfel. Mi wnes ymdrech i fod mor frwd ag y gallwn i, gan sôn am yr hwyl yr oedden ni'n mynd i'w gael.

'Meddylia,' meddwn i, 'dim mwy o gysgu mewn hen rhyw hen gwt mochel tila. Dim rhagor o orfod osgoi'r bomiau.'

'Ond be sydd 'na i 'neud yn y Cymru 'na?' meddai'n benisel.

'Wyddon ni ddim nes cyrhaeddwn ni yno, yn na wyddom?' atebais yn siriol.

Rydw i'n gallu gweld ei bwynt o. Ac mi fetia i 'mod i'n gwybod beth arall sy'n ei boeni. Mae hynny'n fy mhoeni i fymryn hefyd. Ysgol!

Dydd Sul, Hydref 27

Gan fod y rhybuddion cyrch awyr yn hwyrach nag arfer neithiwr, fe gawson ni awr neu ddwy yn y gwely cyn gorfod cychwyn am y cwt mochel.

Fel yr oedden ni'n setlo i lawr, dyna Shirl yn pysgota yn ei bag llaw, yn tynnu dau bapur pumpunt mawr, gwyn ohono, ac yn eu sodro yn fy llaw i.

'Ar gyfar diwrnod glawog,' meddai, efo gwên fach swil. Ro'n i wedi syfrdanu. Mae deg punt yn beth wmbredd o arian. Dydw i erioed wedi gafael mewn cymaint ar yr un pryd.

'Be wyt ti'n drio'i 'neud, Shirl?' gofynnais. 'Fedri di ddim fforddio hyn. Mae'n rhaid dy fod ti wedi cymryd wythnosa ac wythnosa i'w hel o.'

'Edrych di ar 'i ôl o 'ta,' meddai. 'Dydw i ddim am gwyno os doi di â'r pres yn ôl efo chdi, ydw i? Ond, fel deudis i, falla y byddi di 'i angan o.'

Mi daflais i 'mreichiau amdani a'i gwasgu'n dynn. Mae Shirl wastad wedi bod yn gefn i mi ar yr adegau sy'n cyfri.

Dydd Llun Hydref 28

Roedd ein trên ni i fod i adael gorsaf Paddington yng ngorllewin Llundain am wyth y bore 'ma. Fe aeth Mr Abbott, pennaeth yr Orsaf Dân, â ni yno yn ei Austin. Dyna be oedd cymwynas!

'Doedd dim rhaid i chi 'neud hyn, Reg,' meddai Dad. Roedd wyneb Dad, fel un Reg Abbott, yn goch a garw ar ôl bod yn gweithio'r noson gynt. Yn ogystal â thoriad ar ei foch, roedd ei lawes dde wedi'i thorchi i'w rhwystro rhag rhwbio yn erbyn llosg poenus oedd yn ymestyn tua phum modfedd hyd at ei benelin.

'Wrth gwrs fod raid i mi, Bert,' meddai Mr Abbott, gan ddylyfu gên. 'Mi fyddi di o leia'n gwybod fod y plantos wedi gwneud un rhan o'r siwrna'n saff. Ydach chi'n barod?'

Fedrwn i ddim cadw'r dagrau'n ôl wrth i mi gofleidio Mam a Shirl ac anwesu clustiau melfed Chamberlain am y tro olaf.

'Byhafia,' meddai Mam wrth Tom, gan edrych i fyw ei lygaid. 'Gwna di fel mae Edie'n dweud. Mi fydda i'n meddwl amdanoch chi bob yn ail funud, siŵr gen i.'

Cyn iddi golli rheolaeth arni'i hun, dyna hi'n cusanu'r ddau ohonon ni ac yn ein gwthio ni i gefn y car. Dim ond Shirl arhosodd ar y palmant i godi'i llaw.

'Paid ti â dod yn rhy gyfarwydd â chael y stafall i ti dy hun,' gwaeddais drwy'r ffenestr. 'Fyddwn ni ddim mor hir â hynny.'

Gwenu wnaeth hi. 'Rydw i'n addo,' meddai. 'Be ydw i'n mynd i wneud heb neb i gwyno wrthi?'

Roedd y cynnwrf o fod yn y car yn help i symud meddwl Tom. Rywle yng nghyffiniau Vauxhall bu'n rhaid i ni lywio'n ofalus heibio i dram oedd yn pwyso ar ei ochr a'i drwyn hanner y ffordd i lawr twll mawr yn y ffordd.

Chwibanodd Dad drwy'i ddannedd wrth i ni fynd

heibio. 'Cas iawn,' meddai. 'Gobeithio nad oedd o mor ddrwg â'i olwg.'

Roedd y bore'n damp a niwlog. Mewn un stryd, doedd dim arwydd rhyfel o gwbwl. Roedd pobl yn cychwyn am eu gwaith, wedi gwisgo'n daclus, ac yn cario bagiau a phapurau newydd. Yn y stryd nesaf, lle'r oedd bom wedi syrthio neu dân wedi'i gynnau, roedd pob dim yn llwydaidd a digalon a'r trigolion un ai'n sefyll wrth eu drysau'n syllu'n hurt ar y difrod o'u cwmpas neu'n mynd ati'n ddiawydd efo'u brwsys a'u rhawiau i geisio dod â pheth trefn a normalrwydd yn ôl i'w bywydau.

Dyna ffarwelio am yr eildro o dan fwa metel to gorsaf Paddington, lle'r oedd mwg y trenau'n glynu fel saim wrth y trawstiau. Wedi i Tom a minnau ddod o hyd i seti, fe agoron ni ffenestr y cerbyd a gwthio'n pennau heibio i'r bleind blacowt.

'Dydan ni ddim am aros,' gwaeddodd Dad. 'Am fynd adra i gael cyntun bach.' Ac yn sydyn, roedden ni ar ein pennau ein hunain.

Erbyn i'r trên bach araf o Gaerdydd gyrraedd Llantrisant roedd hi'n bump o'r gloch, a hyd yn oed Tom wedi cael digon ar drenau am un diwrnod. Ar wahân i hisian stêm a thrydar adar, roedd y platfform yn iasol o dawel. Edrychai'r llwyni oedd yn hongian dros y ffensys fel pe baen nhw angen torri'u gwalltiau'n sobor. Er nad oedd perygl i neb ein methu ni gan mai ni oedd yr unig deithwyr i ddod oddi ar y trên, roedd dyn cuchiog yn sefyll wrth y swyddfa docynnau yn dal darn o gardbord i fyny yn yr awyr a'r un gair 'BENSON' wedi'i sgriblan arno mewn ysgrifen waeth nag un Tom hyd yn oed. Roedd y dyn yn dew a moel. Dim ond pâr o fresys lledr oedd yn cadw'i fol a'i drowsus budr rhag ffraeo efo'i gilydd.

'Mae'n rhaid mai Mr James ydi hwnna,' meddwn i, gan dynnu'r hen gês tolciog allan o'r cerbyd a'i sodro ar y platfform.

'Dydi o ddim yn edrych yn rhy falch o'n gweld ni,' sibrydodd Tom.

Mi dw i'n siŵr fod golwg od arnon ni yn sefyll yno, ein masgiau nwy yn eu bocsys cardbord yn hongian am ein gyddfau a'n bagiau ysgol (wedi'u llenwi â hynny oedd bosibl o gysuron cartref) yn llithro oddi ar ein hysgwyddau. Yn sydyn reit, roedd y masgiau nwy yn ymddangos yn gwbl ddiangen. Doedd yna'r un arwydd o ryfel yn Llantrisant, ac roedd hyd yn oed enw'r orsaf yn rhythu'n feiddgar arnon ni oddi ar y bwrdd, fel petai newydd gael côt o baent.

'Ry'ch chi 'di dod 'te,' oedd yr unig groeso gawson ni gan Mr James. 'Ffordd hyn. Well i chi hastu neu fydd dim te i ga'l.' A gan ein gadael ni i ymlafnio efo'r paciau, i ffwrdd â fo i'r stryd y tu allan i'r orsaf lle'r oedd tractor a wagen wedi parcio.

Pwyntiodd â'i fawd i gyfeiriad y wagen lle'r oedd rhyw fath o seti pren garw yn wynebu ar yn ôl. 'I chi, shgwlwch,' meddai, a rhoi gorchymyn i ni 'ddringo lan'.

Safodd Tom yno'n rhythu'n geg agored arno, fel petai wedi ei hoelio i'r fan.

'Glywsoch chi mohono i?' holodd Mr James, yn haerllug. 'I'r wagen 'na. Siapwch hi.'

Wn i ddim ai stumog wag wedi diwrnod o deithio, ynteu rhoncian a siglo'r wagen oedd yn gyfrifol, ond ro'n i'n teimlo'n swp sâl ar ôl mynd ychydig lathenni. Dyna lwc nad oedd y ffermdy ond tua dwy filltir o'r orsaf a phentref bach Llantrisant. Go brin y byddai cyfogi dros wagen Mr James wedi bod yn ddechrau da.

Dydd Mawrth, Hydref 29

Mae'n rhaid i mi fod yn gryf ac yn gadarn. Mi wyddwn cyn gadael cartref fod hyn yn mynd i fod yn anodd, ond wyddwn i ddim pa mor anodd. Rydw i'n gweld colli Mam a Dad a rhif 47 yn ddychrynllyd. Mae 'na wayw'n cnoi ym mhwll fy stumog i ac rydw i eisiau crio drwy'r amser. Neithiwr, pan oedden ni i gyd yn y gwely, fedrwn i ddim dal rhagor ac mi griais lond fy mol. Gobeithio na chlywodd Tom mohona i. Yn fwy na dim, mae'n rhaid i mi fod yn ddewr er ei fwyn o.

Felly, be sydd i'w ddweud o blaid Llantrisant? Wel, i ddechrau, mae'n amlwg ein bod ni'n saff. Go brin y byddai hyd yn oed y Jeris yn credu fod y lle'n werth ei fomio. Does 'na fawr ddim yma ond y ni a'r gwartheg.

Mae ffermdy'r James's yn un digon dymunol, am wn i, ar wahân i'r arogl llwydni. Rydan ni wedi cael ystafell yr un ac maen nhw mor fawr fel ein bod ni'n cloncian o gwmpas ynddyn nhw. Yn fawr ac yn oer!

Mae'r dodrefn braidd yn simsan, ond go brin fod fy nillad i yn llenwi hyd yn oed chwarter y droriau a'r wardrob o ran hynny. Mi rois i Freddie, fy nhedi bêr masgot, ar y gist ddillad yn wynebu'r gwely fel y galla i ei weld drwy'r amser. Dydw i ddim yn cofio bod hebddo fo erioed. Yna, wedi i mi osod y pum llyfr oedd gen i mewn trefn ar y silff, dyna lithro un o'r papurau pumpunt roddodd Shirl i mi yn ofalus y tu mewn i siaced lwch *Diary of a Nobody*, gan George a Weedon Grossmith, a'r llall y tu mewn i glawr *Winnie the Pooh*. Rydw i'n credu y dylai'r arian aros yn gyfrinach rhyngdda i a Shirl am rŵan.

Mae 'ngwely i braidd yn od, yn uchel oddi ar lawr ac ochrau'r fatres yn pantio, fel fy mod i'n teimlo fel pe bawn i'n cysgu ar ben to ac ar fin syrthio oddi arno unrhyw funud.

Wrth edrych allan drwy ffenestr y llofft y bore 'ma, rydw i'n sylwi fod y wlad yn dlws iawn. O'n cwmpas ni, mae'r caeau'n wyrdd tanbaid, ac yn y pellter mi alla i weld bryniau a'u copaon gwastad fel pe baen nhw'n toddi i'r awyr, a chysgodion yn sleifio dros y porffor. Maen nhw'n fy atgoffa i o'r clustogau ar y soffa yn y parlwr ffrynt gartref. Ond rhaid i mi beidio meddwl gormod am hynny.

Ar y llaw arall, does 'na fawr i'w ddweud o blaid Mr a Mrs James. O edrych ar y lluniau ar y silff ben tân yn yr ystafell fwyta, mae Tom a finna'n tybio fod ganddyn nhw dri o blant wedi tyfu i fyny. Os cawson nhw eu trin fel y cawson ni neithiwr, mae'n siŵr gen i fod y tri wedi gadael cartref cyn gynted ag y gallen nhw. Be wnaeth iddyn nhw'n cymryd ni yma os ydyn nhw'n ein casáu ni gymaint? Roedd yr ychydig eiriau ddwedodd Mr James yn ystod amser te a'r min nos un ai'n flin neu anghwrtais. Ar y llaw arall, doedd dim pall ar Mrs James. Roedd hi'n pigo mwy arna i nag ar Tom. '*Pidwch rhoi'ch peneline ar y bwrdd! Pidwch cythru i'r bwyd! Pidwch rhygnu'ch cader ar y llawr!*' (Llawr cerrig sydd i'r ystafell fwyta, a'r cadeiriau'n gwneud sŵn arno.) '*Pidwch siarad 'da'ch ceg yn llawn!*' (A hithau newydd ofyn cwestiwn i mi!)

Ac ar ben hynny, y sylwadau personol ynglŷn â 'ngwallt i (*blêr!*) a fy ffrog i (*rhy fyr a gormod o batrymau!*)

Dydd Iau, Hydref 31

Fedrwn i ddim wynebu ysgrifennu yn hwn ddoe. Byddai'r cwbwl yn swnio'n druenus ac yn ddigalon, yn union fel y tywydd.

Roedd Shirl yn dweud ei bod hi'n glawio llawer iawn yng Nghymru, ac rydw i'n ei chredu hi rŵan. Fe ddechreuodd brynhawn dydd Mawrth, ac mae wedi bod yn tywallt i lawr mwy neu lai yn ddi-stop ers hynny.

I'n rhwystro ni rhag diflasu, mae'r Ddraig wedi mynnu ein bod ni'n gweithio am ein cadw. (Wel, y ddraig ydi arwydd cenedlaethol Cymru, yntê? Ac mae hynny'n ddisgrifiad eitha da o Mrs James.) Mae hi wedi'n rhoi ni ar waith i lanhau'r llestri arian a helpu efo'r golchi. Fuon ni fawr o dro cyn sylweddoli nad ydi'n gorau ni byth yn ddigon da.

Ond fe gawson ni ddau lythyr heddiw, un gan Mam a Dad a'r llall gan Shirl, ac fe wnaeth hynny i ni deimlo'n well ac yn waeth ar yr un pryd. Rydw i mor gymysglyd fy meddwl, ond yn fwy na dim mi fyddai'n dda gen i pe baen ni'n cael mynd adref.

Dydi'r bwyd yr ydan ni'n ei gael yma ddim yn rhy ddrwg, ond all Tom ddim stumogi cawl bresych dyfrllyd y Ddraig. Oherwydd iddo fethu gorffen ei uwd ddoe, y cwbwl gafodd o i de oedd bara toeslyd a jam ych a fi! Gan fod digon o lysiau i'w cael ar y ffarm, fyddwn ni ddim yn brin o frechdanau betys, ond O! mi fydd hi'n chwith i ni heb ein 'sgodyn a'n sglodion!

Dydd Sadwrn, Tachwedd 2

Ein tasg ni ddoe oedd casglu coed tân. Anfonodd y Ddraig ni efo'n basgedi ar draws y caeau i lwyn o goed y tu ôl i'r ffarm. A doedd un siwrnai ddim yn ddigon. O, na! Fe wnaeth i ni fynd yn ôl a blaen bum gwaith, o leiaf. Erbyn hyn, mae ganddon ni ddigon o goed i gadw eu tân nhw ynghynn drwy'r gaeaf, os bydd raid i ni!

Roedd o'n waith hawdd, gan fod y gwynt wedi bod yn codi ers dyddiau a llwythi o ganghennau bach a brigau wedi syrthio o'r coed. Dydw i ddim yn malio cael rhywbeth i'w wneud. Yr hyn sy'n mynd dan fy nghroen i ydi fod Mrs James fel pe bai hi'n meddwl ein bod ni yma er hwylustod iddi hi, ac yn ein trin ni fel gweision bach. Does 'na byth 'os gwelwch chi'n dda' na 'diolch' i'w gael, dim ond 'Gwnewch hyn!' neu 'Gwnewch y llall!' Neu'n amlach na pheidio: '*Pidwch* gwneud 'na!'

Yn y prynhawn, anfonodd ni i'r siop yn Llantrisant i brynu te a bara. Rydw i wedi bod yn cario stoc o geiniogau ym mhoced fy sgert rhag ofn y byddwn i eu hangen rywdro, a gan fy mod i'n teimlo mor isel mi benderfynais geisio ffonio Dad o'r blwch ffôn ar y groesffordd yng nghanol y pentref.

Dim ond eisiau clywed llais cyfeillgar yr o'n i, ond pan ges i trwodd i'r orsaf dân yn Lewisham roedd Dad allan ar ddyletswydd, a'r cwbwl allwn i ei wneud oedd gadael neges wrth y ddesg. A'r tro yma allwn i ddim dal. Wedi i mi roi'r ffôn i lawr, mi ddechreuais feichio crio, mewn anobaith llwyr. Roedd golwg druenus ar Tom. Dydi gweld eich chwaer fawr yn torri'i chalon ddim yn beth braf. Mewn sbel, dyna fo'n rhoi llaw chwyslyd ar fy mraich i, ac mi ddois ataf fy hun.

'Mi fydda i'n iawn rŵan,' meddwn i, dan sniffian. 'Paid â chymryd sylw ohona i. Ddylwn i ddim fod wedi gwneud hynna. Ddylwn i ddim fod wedi ffonio. Dydi hynny ddim yn mynd i newid dim, yn nag ydi?'

Dydd Sul, Tachwedd 3

Mae'n siŵr gen i fod heddiw'n cyfri fel un o'r dyddiau mwyaf diflas erioed. Yr hyn gawson ni oedd rhyw fath o frechdan Capel. Bu'n rhaid i ni gerdded i'r Capel efo Mr a Mrs James i'r gwasanaeth un ar ddeg o'r gloch y bore, yna cerdded yn ôl i'r ffarm am ginio, yna'n ôl i'r Ysgol Sul (yn y Capel) y prynhawn, ac yna (mae'n anodd credu'r peth!) rhagor o gapel fin nos! Ac mae'r James's yn galw'r Sul yn 'ddiwrnod o orffwys'!

Adeilad brics coch, bygythiol ydi'r Capel, yng nghanol Llantrisant, a 'BETHESDA 1888' wedi'i naddu ar garreg fawr yn uchel ar ei du blaen. Allan yn y stryd, fe allech chi daeru fod y tair ffenestr fawr fwaog fel llygaid yn eich dilyn chi i bobman, ac mae'r un teimlad i'w gael y tu mewn, hefyd. Fe drodd pawb i edrych arnon ni pan gerddon ni mewn, fel petai ganddon ni ddau ben yr un.

Y bore a'r min nos, pregethodd y Parchedig Gwynfor Evans, gweinidog Bethesda, am o leiaf 45 munud. Bu'n rhaid i mi ddal ati i gicio Tom ar ei ffêr yn ystod y gwasanaeth fin nos, rhag ofn iddo syrthio i gysgu. Roedd yr holl sôn am bechod, tân uffern a damnedigaeth yn ddigon i godi gwallt pen rhywun. Y neges oedd, os na fydden ni'n gwrando ac yn gwneud yr hyn ddylen ni (ac rydw i'n siŵr ei fod o'n edrych ar Tom a finna) y bydden ni'n cael ein llosgi, i sicrwydd. Ac ystyried ein bod ni wedi dod i Gymru i ddianc rhag hynny, mae'r cwbwl yn swnio braidd yn chwerthinllyd, a dweud y gwir.

Ond fe ddweda i un peth, mae pobol y lle yma *yn* gallu canu. Dydw i erioed wedi clywed dim byd tebyg. Dim ond cant a hanner oedd yn y capel, ac roedden nhw'n gwneud mwy o sŵn na'r dyrfa fawr i lawr yn y *Valley* pan mae Charlton yn chwarae gartref.

Roedd yr Ysgol Sul yn ofnadwy, a'r plant eraill yn rhythu arnon ni. Rhwng y canu a'r gweddïo, bu'n rhaid i ni benlinio ar lawr llychlyd y festri a defnyddio'n cadeiriau fel math o fwrdd er mwyn lliwio rhyw hen luniau gwirion o Moses yn yr hesg. Faint maen nhw'n meddwl ydi'n hoed ni, mewn difri? Rhoddodd Tom y gorau iddi mewn syrffed, felly mae'n debyg ein bod ni'n dau wedi cael yr enw rŵan o fod yn rhai anodd eu trin.

Dydd Llun, Tachwedd 4

Heddiw, fe aethon ni i ysgol iawn am y tro cyntaf mewn blwyddyn. Wel, mae hynny'n rhywbeth i'w wneud o leiaf, ac yn rhoi cyfle i ni ddianc rhag oglau'r moch. Dim ond un dosbarth sydd yna yn ysgol y pentref, ac mae Miss Williams yr athrawes yn ifanc ac yn glên. Mae ganddi wallt brown, hir, digon o ryfeddod, a hwnnw'n gudynnau modrwyog. Rydw i'n credu ei bod hi'n ein pitïo ni. Yn ystod y prynhawn, fe ofynnodd i ni ddisgrifio bywyd yn Lewisham. Roedd llygaid y plant eraill yn sefyll allan o'u pennau pan sonion ni am y bomio.

Rydw i'n un o'r rhai hynaf, felly dydw i ddim yn credu y byddan nhw'n fy mhoeni i, ond mi fydd yn rhaid i mi gadw llygad ar Tom. Mae yno un bachgen gwallt coch allai achosi helynt.

Dydd Mawrth, Tachwedd 5

Noson tân gwyllt! Ond fydd yna ddim tân gwyllt yn Llantrisant heno. Dydw i ddim yn credu y byddai ots gan y Cymry petai Guto Ffowc wedi llwyddo i chwythu'r Senedd i fyny. Mae Llundain yn ymddangos yn bell iawn i ffwrdd.

Ac wrth i mi feddwl am Mam a Dad a Shirl (a Frank a Maureen hefyd), rydw i'n gobeithio nad oes gormod o dân gwyllt lle maen nhw chwaith!

Mae'r ysgol yn broblem, er bod y gwaith yn hawdd fel baw. Ond os dalia i ati i roi fy llaw i fyny i ateb cwestiynau, mi fydda i'n edrych yn rêl pen bach.

Rydw i'n dal y cochyn 'na'n llygadu Tom bob tro y bydda i'n troi 'nghefn. Philip Morgan ydi'i enw fo, ac mae o'n amlwg wedi arfer bod yn geiliog pen y domen. Mae 'na ddau beth sy'n ddirgelwch i mi ynglŷn â bechgyn. Un ydi pam maen nhw mor fudur y rhan fwyaf o'r amser. A'r llall ydi pam maen nhw wastad yn ymladd.

Dydd Mercher, Tachwedd 6

Diwrnod drwg. Mae'r Ddraig yn gwaethygu, ac yn gweld bai arna i am bob dim. Yn ôl Mrs James, fi ydi'r person mwyaf anghwrtais, hunanol ar wyneb daear. Er fy mod i'n ymdrechu fy ngorau glas, y cwbwl all hi ei wneud ydi dweud pa mor anobeithiol ydw i.

Ro'n i'n meddwl fod Tom yn dechrau ymdopi. Mae o wedi bod yn gwenu ychydig mwy yn ddiweddar, ond do'n i ddim ond wedi troi 'nghefn arno am bum munud amser cinio a dyna lle'r oedd o'n ei gwman mewn cornel a'i drwyn yn gwaedu. Pwy oedd yn gyfrifol? Philip Morgan, wrth gwrs!

Dydi Tom erioed wedi cael ei fwlio o'r blaen, a dyna fi'n gofyn iddo, 'Pam 'nest ti adael iddo fo 'neud hynna? Gobeithio dy fod ti wedi rhoi un yn ôl iddo fo!'

Ysgwyd ei ben yn ddigalon wnaeth Tom.

'Pam ddim?' meddwn i, mewn syndod.

'Dweud ddaru o y bydda'r lleill i gyd yn troi arna i,' nadodd.

Roedd hynny, i mi, fel cadach coch i darw. Do'n i ddim am weld fy mrawd bach yn cael ei gam-drin. 'Mi gawn ni weld am hynny,' meddwn, a chyn i'r ysgol ail ddechrau am y prynhawn ro'n i wedi cydio yng ngwar y Morgan 'na a'i wthio yn erbyn y wal. Roedd o wedi cael sioc. Dydw i ddim yn credu fod yr un eneth erioed wedi meiddio gwneud y fath beth.

'Yli,' meddwn i, 'gwna di hynna eto, ac yn yr ysbyty fyddi di. Ti'n deall?'

Rydw i'n gobeithio na welodd o mohona i'n crynu wrth iddo sleifio i ffwrdd a'i gynffon rhwng ei goesau. A fi ydi'r un sy'n cwyno fod *bechgyn* yn ymladd drwy'r amser. Wel, on'd ydi'r rhyfel yma wedi'n dysgu ni na ddylen ni ddim cymryd ein bwlio?

P'un bynnag, fe aeth i brepian arna i wrth Miss Williams 'glên', nad ydi hi ddim mor glên wedi'r cyfan. A rywfodd neu'i gilydd, roedd y newydd wedi cyrraedd clustiau'r Ddraig erbyn diwedd y prynhawn mai cnafon anwaraidd ydi plant Llundain, ac na wna hynny mo'r tro.

Chawson ni 'run tamaid i'w fwyta heno ac mae Tom o'i go a bron â drysu gan hiraeth. Mi es draw i'w ystafell ar flaenau fy nhraed, i geisio ei gysuro.

'Dal di ati,' sibrydais. 'Mi ddaw pethau'n well, gei di weld!'

'Na ddôn,' cwynodd. 'Rydw i eisiau mynd adref. Mae'n gas gen i'r lle 'ma ac mae'n gas gen i'r ysgol. Rydw i eisiau Mam. Mi dw i wedi cael digon!'

Ro'n i'n dechrau poeni, ofn iddo wneud rhywbeth gwirion, ac meddwn i, 'Tom, gwranda di arna i. Tria ddal am wythnos arall. Os nad ydi pethau'n well erbyn hynny, falla bydd yn rhaid i ni feddwl eto. Un wythnos, 'na'r cwbwl. Trystia fi. Iawn?'

O'r diwedd, nodiodd ei ben.

Dydd Iau, Tachwedd 7

Fe gawson ni lythyr oddi wrth Mam heddiw, ond bu'n rhaid i mi fwy neu lai ei gipio o afael y Ddraig.

Petai hi heb ollwng y pentwr papurau newydd roedd hi'n eu cario, dydw i ddim yn credu y bydden ni byth wedi'i weld. Wrth i'r llythyr, oedd wedi'i wthio rhwng y papurau, droelli i'r llawr ac i minnau helpu i'w godi, roedd golwg flin iawn arni, ond fe ddaeth ati'i hun reit sydyn.

'O'wn i 'boitu rhoi hwn i chi,' meddai, heb arwydd gwrido. ''Tho'ch mam a'ch tad, ife?' Oddi wrth bwy arall, mewn difri!

Sut bynnag, maen nhw i gyd yn iawn, ac yn dweud nad oes achos i ni boeni. Dim sôn am fy ngalwad ffôn i. Efallai na chafodd y neges ei hanfon ymlaen.

Dydd Gwener, Tachwedd 8

Mae pethau'n mynd o ddrwg i waeth. Mae Tom yn sâl rŵan!

Doedd o ddim yn teimlo'n rhy dda neithiwr, medda fo. Yna, dyna fo'n fy neffro i ganol nos ac yn dweud, mewn llais bach gwan, ei fod wedi cyfogi dros y gwely i gyd. Dim ond dros y cynfasau, fel mae'n digwydd, felly doedd hynny ddim rhy ddrwg.

Gan gerdded o gwmpas ar flaenau fy nhraed rhag ofn i mi ddeffro rhywun, mi es ati i dwtio Tom druan, tynnu'r cynfasau budron oddi ar ei wely a rhoi fy rhai i yn eu lle, ac estyn gwydraid o ddŵr a dysgl iddo fel na fyddai'r un peth yn digwydd petai'n cyfogi wedyn. Ar ôl gwneud hynny, mi ddois o hyd i flanced sbâr, oedd yn dyllau pryfed i gyd, a swatio yn honno am weddill y noson.

Yn y bore, mi es i chwilio am y Ddraig cyn gynted ag y gallwn i. Mi wyddwn y byddai hi'n rhoi pryd o dafod i rywun, ac ro'n i am i'r un hwnnw fod yn fi, nid Tom. Bu'n rhuo ac yn rhefru o gwmpas am sbel, gan ddweud nad oedd ganddi mo'r amser i foddran efo plant twp, ond yn y diwedd rhoddodd gynfasau sbâr i mi gan fygwth y byddai'n rhaid iddyn nhw bara 'pythewnos o leia'.

Dydd Sul, Tachwedd 10

Dydi Tom ddim wedi dod ato'i hun. Er ei fod ar ei draed erbyn hyn, mae'n dal i gael cur mawr yn ei ben, ac mae'n amlwg nad oes ganddo ddim egni o gwbwl. Dydw i ddim yn credu yr aiff o i'r ysgol fory. Ond o leia fe lwyddon ni i osgoi'r Capel a'r Ysgol Sul – Tom am ei fod yn sâl, a minnau am fod yn rhaid i mi ofalu amdano.

Cyn i'r Dreigiau ddod adref fin nos, mi wnes yn fawr o'r cyfle a mentro gwneud defnydd o'u bàth tun o flaen y tân yn yr ystafell eistedd am hanner awr. Bu'n rhaid i mi ferwi llond tecell ar y stôf chwe gwaith er mwyn cael y dŵr yn ddigon poeth.

Mi fedrais glirio'r cwbwl cyn iddyn nhw gyrraedd, ond cael a chael oedd hi. Mae'n anodd iawn ymolchi mewn bàth tun heb adael eich ôl, ac ro'n i'n gweddïo na fydden nhw'n gweld y staen gwlyb ar y rỳg.

Dydd Llun, Tachwedd 11

Fe ddaru'r Ddraig fwy neu lai orfodi Tom i fynd i'r ysgol y bore 'ma, gan ddweud mai pwdryn ydi o. Bu'n rhaid i mi egluro i Tom mai dweud ei fod o'n ddiog yr oedd hi, ac nid ei fod yn dioddef o ryw salwch erchyll! Y cyfan wnaeth y creadur drwy'r dydd oedd eistedd wrth y stôf yn yr ystafell ddosbarth yn crynu fel deilen. Roedd hyd yn oed Miss Williams a'r plant eraill yn sylweddoli nad oedd o'n abl i wneud ei waith, ac fe gafodd lonydd ganddyn nhw.

Fin nos, daeth y Ddraig i fyny i'm hystafell i i ddweud fod swper yn barod. Roedd hi'n tin-droi o gwmpas fel pe bai arni eisiau dweud rhywbeth pwysig ac yn ceisio dod o hyd i'r geiriau. Mi feddyliais innau efallai ei bod hi wedi penderfynu cael sgwrs gall ar ôl pythefnos o weiddi. Ro'n i wedi bod yn darllen *Jane Eyre* – a dyna hi'n llygadu fy nghasgliad bach i o lyfrau yn amheus, ar draws ac ar hyd, i fyny ac i lawr. Ro'n i'n ofni am funud ei bod am ddweud wrtha i mai gwastraff amser ydi darllen (mae'n amlwg mai dyna oedd hi'n ei feddwl) a'i bod hi am fynd â'r llyfrau a'u celc cudd oddi arna i. Ond y cyfan wnaeth hi oedd ysgwyd ei phen, fel petai hi'n fy 'mhitïo i, a throi ar ei sawdl.

Dydd Mercher, Tachwedd 13

Dydw i erioed wedi gwneud dim byd gwirioneddol ddrwg yn fy mywyd o'r blaen, ond rydw i'n credu fy mod i ar fin gwneud hynny, ac mae 'nhu mewn i'n corddi wrth feddwl am y peth.

Hyd yn oed yn y boreau, pan ydw i'n fy hwyliau gorau, mae'r pythefnos ddiwetha 'ma wedi bod yn hunllef. Wedi'r helynt efo Philip Morgan, mae plant yr ysgol wedi gwneud ati i'n hanwybyddu ni. Mi fyddwn i'n dweud eu bod nhw wedi'n hanfon ni i Coventry – ond gan mai yng Nghymru yr ydan ni, dydi hynny ddim yn taro'n iawn rywsut. Efallai mai i Gaerdydd maen nhw wedi'n hanfon ni, felly! (Dyna brofi nad ydw i wedi colli fy synnwyr digrifwch yn llwyr!)

Wedi diwrnod neu ddau o hynny, fe roeson ni'r gorau i boeni am y peth, siarad efo'n gilydd, a bwrw 'mlaen â'r gwaith roedd Miss Williams yn ei roi i ni. Mae hithau i weld yn cadw'i phellter oddi wrthon ni, ond efallai mai fi sy'n dychmygu hynny. Dyna sy'n anodd, yntê: ceisio edrych ar bethau mewn ffordd deg a rhesymol.

Ond fe ddaeth pethau i ben heddiw. Mae 'na wythnos ers pan ddwedais i wrth Tom y byddai pethau'n siŵr o wella, ac ro'n i'n ceisio meddwl tybed beth o'n i'n mynd i'w ddweud wrtho ar ôl yr ysgol, gan fy mod i'n gwybod nad ydyn nhw ddim wedi gwella o gwbl. P'un bynnag, dyna pryd ddigwyddodd yr helynt. Do'n i ddim yno ar y pryd. Dim ond gweld y canlyniadau wnes i.

Ers rhai dyddiau bellach, mae Mr a Mrs Draig wedi mynnu fod Tom yn mynd allan i helpu efo'r gwaith ar y ffarm, er nad ydi o wedi gwella o ddifri – codi llysiau ar gyfer swper, llwytho silwair ar y wagen, gwylio sut mae godro ac ati. Mae hynny'n iawn, am wn i. Mae'n debyg fod yr awyr iach yn gwneud lles iddo, ac mae'n well iddo fod allan nag yn cicio'i sodlau o gwmpas y tŷ yn cael ei fwlio, fel fi.

P'un bynnag, fe aeth Mr James â Tom i'r gweithdy y prynhawn 'ma, i ddysgu rywfaint o waith coed iddo, yn ôl pob golwg. Roedd Tom wedi bod yn ymarfer curo hoelion i ddarn o bren efo un o forthwylion Mr James, medda fo, pan fethodd yr hoelen a tharo'i fawd yn galed.

Mae Tom yn gwrthod dweud wrtha i be ddwedodd o, a gan nad ydi o'n gwybod gymaint â hynny o eiriau anweddus alla i ddim credu ei fod o'n rhywbeth rhy ddrwg, ond mi roddodd sioc i'r hen James, beth bynnag oedd o. Dydw i ddim yn meddwl fod pobl y Capel yn rhegi llawer, er nad ydi hynny'n eu rhwystro nhw rhag bod mor anghwrtais ag y mynnan nhw.

Daeth Mr James i'r tŷ gan lusgo Tom gerfydd ei glust, ac ailadrodd yr hyn oedd o wedi'i ddweud yn ddistaw bach wrth y Ddraig. Rydw i wedi clywed Mam yn dweud fwy nag unwaith, pan mae rhywun yn rhegi, fod angen golchi'i geg allan efo dŵr a sebon, ond wnes i erioed freuddwydio y byddai neb yn gwneud hynny o ddifri. Ond dyna'n union be wnaethon nhw; Mr James yn dal Tom i lawr a hithau'n golchi'i geg efo'r sebon, heb fod yn rhy dyner chwaith.

Ro'n i wedi cael andros o sioc. Pan ddechreuodd Tom udo mi ddwedais i wrthyn nhw am adael llonydd iddo fo, ond dyna'r Ddraig yn troi arna i ac yn dweud wrtha i am fod yn ddistaw neu fi fyddai'n ei chael hi nesaf.

Wedi iddyn nhw orffen, digwyddodd yr un peth ag arfer. Cafodd Tom ei anfon i fyny'r grisiau a'i siarsio i beidio dod i lawr nes iddo gael ei alw. Mi es i efo fo, a doedd fiw iddyn nhw geisio fy rhwystro i.

P'un bynnag, rydw i wedi penderfynu. Allwn ni ddim aros yma. Ddim ar ôl hynna! Rydan ni wedi gwneud ein gorau glas, a dydi pethau ddim yn mynd i wella.

Dydd Iau, Tachwedd 14

Rydw i wedi ystyried hyn yn ofalus iawn, ac os ydan ni am ddianc mae'n rhaid i hynny weithio'r tro cyntaf. Fydd 'na ddim ail gynnig i'w gael.

Diolch byth fod Shirl wedi rhoi'r arian i mi. Os bu erioed 'ddiwrnod glawog', heddiw ydi hwnnw!

Ar ôl yr ysgol, aeth Tom a finna i gael golwg o gwmpas gorsaf Llantrisant. Yn ôl yr amserlen ar y platfform, dim ond dau drên y diwrnod sy'n mynd i

Gaerdydd, ond y newydd da ydi fod un ohonyn nhw'n gadael am 8.25 y bore.

Os dwedwn ni ein bod am fynd i lawr i'r ysgol ddeng munud yn gynharach bore fory, fe allwn fod ar y trên hwnnw. Bydd yn rhaid i ni adael y rhan fwyaf o'n pethau yma gan na fedrwn ni fynd â dim ond ein bagiau ysgol efo ni.

Mi weddïais i heno na fyddai'r trên yn cael ei ganslo. Does gen i ddim syniad beth sy'n mynd i ddigwydd pan gyrhaeddwn ni adref, ond yr unig ffordd i argyhoeddi Mam a Dad ynglŷn â hyn ydi wyneb yn wyneb. Wnaiff llythyr mo'r tro.

Dydd Gwener, Tachwedd 15

Syllodd y dyn yn y swyddfa docynnau yn ddrwgdybus iawn arnon ni dros ei sbectol pan ofynnais i am ddau docyn sengl i Paddington. Roedd hi'n 8.22, a'r injan fach efo'r tri cherbyd o'i hôl ar dân eisiau gadael am Gaerdydd.

Roedd yr arian ganddon ni, on'd oedd? Mi edrychais i

fyw ei lygaid wrth i mi ei roi iddo, fel pe bawn i'n gyfarwydd â gwneud hynny bob dydd o'r wythnos.

Syllodd yntau'n ôl arna i. Roedd o'n gwybod ei fod wedi'n gweld ni o'r blaen, ond yn methu rhoi dau a dau at ei gilydd. Mi ddaliais i fy anadl gan feddwl yn siŵr ei fod am ddweud rhywbeth, ond gostwng ei lygaid wnaeth o a rhoi'r newid i mi yn araf, araf bach. Y tro hwn, nid y ni oedd yr unig rai yn yr orsaf, a fedrai o ddim yn hawdd gadw'r lleill i aros dim ond am fod golwg amheus arnon ni.

Ar hyd y ffordd i Gaerdydd, rydw i'n credu fod Tom, fel finna, yn disgwyl i'r trên stopio'n stond unrhyw funud, ac i blismon gyrraedd a'n halio ni i ffwrdd. Ond rymblan ymlaen wnaeth o nes dod i olwg adeiladau llwydion cyrion y ddinas. Ychydig wedi deg o'r gloch, roedden ni'n sefyll ar y platfform yn craffu ar y bwrdd hysbysu.

Roedd yna drên cyflym i Paddington am 10.45. Fe fydden ni'n ddiogel ond i ni allu dal hwnnw. Unwaith yr oedden ni yn Llundain, hyd oed pe baen ni'n digwydd cael ein dal, roedd rheswm yn dweud mai mynd â ni adref y bydden nhw ac nid yn ôl i Lantrisant.

Bob tro y byddai casglwr tocynnau yn clepian ei ffordd i lawr coridor y trên cyflym, bob tro y byddai drws ein cerbyd ni'n llithro'n ôl, bob tro y byddai rhywun mewn gwisg swyddogol yn mynd heibio, ro'n i'n credu ei bod hi ar ben arnon ni. Rydw i'n gwybod rŵan sut deimlad ydi bod yn ysbïwr ar dir y gelyn.

Roedd ein calonnau ni'n dechrau curo'n gyflymach bob tro y byddai'r trên yn stopio wrth olau coch. Wrth ymyl Swindon, lle bynnag mae fanno, fe stopiodd am chwarter awr, heb unrhyw reswm, ac ro'n i'n meddwl yn siŵr mai dyna'i diwedd hi. Ond ni ddaeth neb, ac o'r diwedd dyna'r trên yn cael ei wynt ato ac yn gwichian yn ei flaen.

Ro'n i'n dal ar bob cyfle i siarad yn ddistaw efo Tom, gan ceisio codi ei galon drwy ddweud pam yr oedden ni'n gwneud hyn a pha mor dda roedd pethau'n mynd. Roedd o mor ofnus â fi. Mi wyddwn i nad oedd o'n arfer edrych mor welw, ond doedd neb arall fymryn callach. Wrth i amser fynd heibio a ninnau ar lwgu, roedden ni'n fwy nerfus fyth, ond do'n i ddim am wario rhagor o'r arian gwerthfawr nes ein bod ni'n ddiogel yn Llundain. Fe allai'r bwyd aros. Doedden ni ddim yn debygol o farw o newyn.

O'r diwedd, wedi oriau o fod ar bigau drain, dyna'r trên yn tynnu i mewn yn araf i orsaf Paddington. Wrth i ni ildio'n tocynnau ar y ffordd allan, ro'n i'n teimlo fel dawnsio, ond roedd y gwaethaf eto i ddod wrth gwrs. Roedd yn rhaid i ni wynebu'r canlyniadau yn rhif 47!

Mae'n rhaid fod Tom wedi darllen fy meddwl i.

'Bwyd?' meddwn i. 'Ynta mynd adra gynta?'

'Adra,' meddai yntau'n bendant.

Dydd Sadwrn, Tachwedd 16

Ro'n i wedi ymlâdd neithiwr ac mi fu ond y dim i mi â syrthio i gysgu uwchben y dyddiadur 'ma. Ac fe ddigwyddodd gwyrth! Dim seiren cyrch awyr! Dim bomiau! Mi gysgais yn sownd tan naw o'r gloch y bore.

Rŵan, ble'r o'n i ar y stori?

Wel, fe ddalion ni'r Tiwb i Charing Cross, ac yna'r *Southern Electric* i Lewisham. Roedd hynny'n haws na cheisio gweithio allan pa fysiau oedd yn rhedeg. Dydw i ddim wedi bod ar y Tiwb ers misoedd. Yn wahanol i'r *Northern*, lle mae'n rhaid i chi fynd i lawr cannoedd o risiau, dydi llinell y *Circle* ond prin o dan y ddaear a ddim yn lloches rhy dda. Ar waethaf hynny, mae llu o bobl yn llechu yno bob nos, yn ôl pob golwg. Er eu bod nhw i fod i glirio ar eu holau bob bore, mae 'na beth wmbredd o 'nialwch yn dal o gwmpas. Ac mae'r arogl ffiaidd yn llenwi'ch ffroenau chi y munud y byddwch chi'n cerdded i mewn. Wn i ddim sut nad ydi'r rhai sy'n cysgodi yno wedi dal rhyw afiechyd dychrynllyd.

Pan gerddon ni i mewn drwy ddrws cefn rhif 47, roedd Mam wrthi'n golchi. Roedd ei hwyneb hi'n bictiwr pan welodd hi ni. Fe drodd cyn wynned â'r galchen, ac ro'n i'n meddwl ei bod hi'n mynd i lewygu. Gafaelodd yn y mangl i'w sadio ei hun, ac yna, heb ddweud gair, roedd y tri ohonon ni'n cofleidio nes ein bod ni'n crio.

Roedd hi'n gwybod. Dim ond wrth ein gweld ni yno, roedd hi'n gwybod. 'Rwyt ti wastad yn dweud y gwir, Edie,' meddai, yn ddiweddarach fin nos. 'Mi wn i na fyddat ti ddim wedi gwneud hyn oni bai bod raid i ti.' O'r diwedd, dyna hi'n ymlacio ac yn pwyso'n ôl yn ei chadair. Ac meddai, gan grychu'i gwefusau mewn hanner gwên, 'A be ydan ni'n mynd i'w ddweud wrth Mr a Mrs Draig, felly?'

Roedd Tom wedi bod yn dawedog a difrifol drwy'r min nos, ond pan welodd o lygaid Mam yn pefrio fe dechreuodd chwerthin a chwerthin mewn rhyddhad nes fod ei ochrau'n brifo. Ro'n i wedi anghofio fel mae cartref yn arogli o glydwch a phobi a pholish, a rŵan rydw i eisiau aros yma am byth.

Fel yr o'n i ar fin syrthio i gysgu neithiwr, plethodd Shirl ei breichiau amdana i a rhoi cusan i mi ar fy nhalcen.

'Go dda ti,' meddai. 'Mi dw i'n gobeithio y byddwn inna wedi gwneud yr un peth yn union.'

Dydd Mawrth, Tachwedd 19

Fe ddaethon ni'n ôl ar yr adeg iawn. Mae'r Jeris yn rhoi llonydd i Lundain ar hyn o bryd, ond o'r hyn ddarllenais i'n y papur ddoe, mae hynny'n golygu fod pobl eraill yn dioddef mwy nag a wnaethon ni hyd yn oed. Maen nhw'n dweud fod dinas Coventry wedi cael ei tharo'n drwm y penwythnos diwethaf a'i llosgi'n golsyn bron iawn. Heddiw, mae pob un o ddynion tân rheolaidd Lewisham, a nifer o'r rhai sy'n eu helpu, wedi cael eu hanfon i fyny i Birmingham. Does dim modd cadw rheolaeth ar y tanau sy'n llosgi yno. Pwy ŵyr pryd ddaw Dad adref!

Mae Mam yn dweud efallai fod Hitler wedi gweld synnwyr o'r diwedd. Roedd o'n meddwl y gallai dorri ysbryd pobl Prydain drwy ollwng bomiau arnyn nhw, ond mae'n sylweddoli bellach na all o ddim. Mae hynny'n gwneud i mi deimlo'n falch. Fis Medi diwethaf, pan enillodd yr RAF y *Battle of Britain* drwy yrru awyrennau'r Almaen ar ffo, fe ddwedodd Mr Churchill na fu erioed gymaint o bobl mewn dyled i cyn lleied. A dyna fi'n sylweddoli fod Frank ni yn un o'r ychydig rai. Wel, mae'n rhaid i rywun gadw'r awyrennau i hedfan, on'd oes? All pawb ddim cael y pleser a'r clod o saethu Messerschmitts i'r llawr mewn fflamau.

A rŵan rydan ni i gyd wedi gwneud ein rhan drwy beidio rhoi'r ffidil yn y to. Hyd yn oed Tom a fi, efallai, drwy wrthod aros yng Nghymru.

Roedd y ffaith fod y bomio wedi stopio yn ei gwneud hi'n haws i Mam a Dad beidio'n hanfon ni'n ôl at y Dreigiau, er bod rhai pobl oedd yn gwybod ein bod ni wedi gadael yn edrych yn gam arnon ni. Mr Lineham, i enwi un. Doedd dim ots ganddo fy nghymryd i'n ôl i helpu efo'r papurau, chwaith. (Gyda llaw, mae'r papurau newydd yn crebachu bob dydd gan fod y llywodraeth angen pob papur y gallan nhw roi eu dwylo arno ar gyfer yr ymdrech ryfel.)

Ar y llaw arall, rydw i wedi clywed eu bod nhw am ail agor yr ysgolion elfennol y mis nesaf. Rydw i'n rhy hen bellach, ond mi fydd yn rhaid i Tom fynd. Mae hynny'n rhyddhad i Mam, greda i. O leiaf mi fydd hi'n gwybod lle mae Tom bob dydd.

Dydd Mercher, Tachwedd 20

Mae Dad yn dal yn Birmingham, a ninnau heb glywed dim o'i hanes. Dydw i ddim wedi arfer â chael Dad oddi cartref, ac mi alla i deimlo'r chwys yn rhedeg i lawr fy ngwar pan fydda i'n meddwl am hynny.

Un o'r prif resymau pam yr ydw i'n falch o fod yn ôl yn rhif 47 ydi'r bwyd. Do'n ddim wedi sylweddoli nes i mi adael fod Mam yn un mor dda am goginio, a Shirl hefyd, o ran hynny.

Oherwydd y prinder a'r dogni, mae'n mynd yn anoddach ymdopi, ond mae Mam yn dweud mai dyna pryd mae cogyddes dda yn gallu profi'i gwerth. Mae'r cig moch wedi'i ddogni, a'r menyn a'r margarîn wrth gwrs, a rŵan y te. Mae'n siŵr gen i fod hynny i'w ddisgwyl gan ei fod yn cael ei gario mewn llongau i Loegr a'r llongau tanfor yn dinistrio cymaint ohonyn nhw. Does 'na fawr o obaith cael gafael ar gig iawn bellach, ac mae'n rhaid i ni fodloni ar iau a 'lwlod. A thafod ych. Rydw i'n dechrau mwynhau hwnnw, a dweud y gwir. Mae samwn tun yn flasus, hefyd. Rydan ni'n bwyta llawer mwy o lysiau nag yr oedden ni, ac mae Mam yn gofalu nad ydan ni'n mynd yn brin o fitaminau drwy wneud i ni yfed sudd tomato.

Alla i ddim dweud fy mod i'n hoff o hwnnw. Mae o'n rhy sleimi o lawer!

Rydan ni'n dal i allu cael wyau ffres, ond mae Mam yn credu y bydd y rheiny hefyd yn cael eu dogni cyn bo hir. Mae hi'n awyddus i ni gadw ieir, er mwyn gwneud yn siŵr ein bod ni'n cael wyau.

Pwdinau Mam fydda i'n eu hoffi orau. Fy ffefrynnau i ydi roli-poli jam a theisen fêl a chnau Ffrengig. Does 'na mo'r un blas arnyn nhw os mai *fi* fydd wedi bod wrthi.

Mae'r ciwiau yn y siopau yn tyfu, rŵan fod pobl wedi dechrau meddwl am y Nadolig, felly mae'n siŵr y bydda i'n gwneud peth wmbredd o loetran yn yr oerni. Mae pawb yn ceisio twyllo er mwyn cael mwy na'u siâr. Pan ddechreuodd y rhyfel roedd rhywun yn clywed straeon dychrynllyd am bobl gyfoethog yn troi i fyny mewn ceir yn cael eu gyrru gan *chauffeurs* ac yn gwagio'r siopau, bellter o'r lle roedden nhw'n byw. Dyna pam y dechreuodd y dogni, a dyna pam mai dim ond o'r siop lle'r ydan ni wedi cofrestru y gallwn ni brynu nwyddau – y cig o Nuttall's a'r bwydydd eraill o Harrold's.

Allwch chi ddim ymddiried yn y siopwyr bob amser chwaith. Efallai eu bod nhw'n ymddangos tu hwnt o glên, ond cafodd un boi o Deptford ei gyhuddo y diwrnod o'r blaen o roi dŵr am ben ei laeth a gwerthu wyau oedd yn llai nag y dylen nhw fod.

Wrth gwrs, os ydach chi'n fêts efo'r siopwyr mae 'na

wastad siawns y gallwch chi gael rhywbeth 'dan y cownter', neu ar y farchnad ddu. Mae'n rhyfedd sut mae rhai pobl yn gallu cael gafael ar sigaréts, a'r lleill yn methu cael rhai am bris yn y byd. Nid fy mod i eisiau rhai, dim ond Shirl!

Dydd Sadwrn, Tachwedd 23

Bu'n bwrw hen wragedd a ffyn ers 24 awr, ac mae'r afon Ravensbourne wedi gorlifo. Hanner milltir oddi yma, mae'r tai yn fwd ac yn llanast i gyd. Roedd pethau'n ddigon drwg heb i hynny ddigwydd.

Mae Dad wedi dychwelyd o ganolbarth Lloegr, a dydw i erioed wedi'i weld yn debyg i hyn. Hyd yn oed pan oedd y Blits ar ei waethaf, roedd o'n llwyddo i wenu drwy'r cwbwl, ond mae hyn yn wahanol. Fe ddaeth adref a mynd i'w wely heb ddweud gair. Mae'n rhaid ei fod wedi cysgu am ddeuddeng awr gyfan.

Dydd Sul, Tachwedd 24

Dim ond Dad a fi oedd yma'r bore 'ma. Wedi bod yn tacluso'r ardd yr oedd o, ac mi ges i afael arno yn y sièd, wrthi'n cadw'i dŵls. Mi ofynnais iddo beth oedd yn bod.

'Roedd o'n erchyll, 'mach i,' atebodd, mewn llais isel. 'Rydw i wedi gweld rhai pethau, ond dim byd tebyg i hynna . . .' A dyna fo'n tewi'n sydyn. Mi fedrwn weld ei fod bron â chrio. Ond fe lwyddodd i'w sadio ei hun, a phan siaradodd o'r tro yma roedd ei lais yn llawn dicter, casineb hyd yn oed.

'Fe daron nhw ysgol lle'r oedd plant yn cael parti,' meddai ymhen tipyn. 'Efallai fod yna 40 ohonyn nhw yno. Fe gyrhaeddon ni'n rhy hwyr. Roedd y lle yn un wal fawr o fflamau. Mwg taglyd ym mhob man. Fe wnaethon ni'n gorau i fynd i mewn, dro ar ôl tro, ond i ddim pwrpas. Wyddost ti be oedden nhw'n ei ddweud oedd o, Edie? Bom olew! Pwy, meddat ti, ond rhywun hollol wallgo fydda'n gollwng bomiau i dasgu olew berwedig ar blant bach pum mlwydd oed? A fedrwn i wneud affliw o ddim i helpu.' Roedd o *yn* crio erbyn hynny, wrth ail-fyw'r pethau arswydus roedd o wedi'u gweld. Mi es ato a rhoi 'mreichiau amdano, ond doedd 'na ddim fedrwn i ei wneud na'i ddweud i ddileu'r darluniau dychrynllyd o'i gof.

Dydd Mawrth Tachwedd 26

Wrth i'r gaeaf agosáu, mae pawb yn trafod salwch. Y broblem ydi fod cymaint o bobl yn heidio i'r llochesi mawr cyhoeddus. Efallai fod y bomio wedi stopio am ryw hyd, ond mae pawb yn siŵr y bydd Hitler yn dychwelyd i Lundain un o'r dyddiau 'ma, a dydi'r rhan fwyaf ddim am fentro. Mae hi'n oer ac yn fudr yn y gorsafoedd tanddaearol. Mae rhai hyd yn oed yn mynd i lawr i'r ogofâu yn Chislehurst bob nos, gan feddwl y byddan nhw'n ddiogel yno. Ond beth petai haint y ffliw yn torri allan? Yn ôl y sôn, fe laddodd hynny filoedd ar filoedd o bobl yn 1918, yn union wedi'r Rhyfel Mawr, ac efallai y bydd yr un peth yn digwydd eto. Fe all fod yn difftheria, neu ryw bla, o ran hynny. Mae hyd yn oed meddwl am y peth yn ddigon. Efo'r holl bobl yn tisian ac yn tagu yn wynebau'i gilydd, fe all unrhyw salwch ledaenu fel tân gwyllt.

Rydw i wedi dechrau seiclo i Deptford, i helpu mewn

canolfan sydd gan y Groes Goch ar gyfer pobl y cafodd eu cartrefi eu bomio. Mae hynny wedi bod yn agoriad llygad i mi, credwch chi fi!

Yn ystod y nos, bwcedi ydi'r toiledau, a does dim digon o'r rheiny hyd yn oed. A' i ddim i fanylu gormod, ond weithiau yn y bore mae 'na stwff yn diferu dros y llawr, a'r arogl yn anghredadwy. Ac mae pobl yn bwyta a chysgu yno. Dim rhyfedd fod yna gymaint o sôn am salwch!

Dydd Sadwrn, Tachwedd 30

Fe ddwedodd Shirl wrtha i neithiwr fod yr Almaenwyr wedi gollwng bom tanio'n-hwyr wrth ymyl Catford, pan oedd Tom a fi yng Nghymru. Er iddyn nhw ynysu'r lle, fe ffrwydrodd cyn i'r tîm difa bomiau gyrraedd, a dymchwel rhes o dai teras. (Chafodd neb ei frifo, wrth lwc.) Hanner awr yn ddiweddarach, roedd hi'n glawio plu yng nghanol tref Lewisham. Aeth si o gwmpas fod ffatri gywion wedi cael ei tharo ond, erbyn deall, matresi'r teras yn Catford oedd yn bwrw'u plu! Mae pawb yn falch o gael unrhyw esgus i chwerthin y dyddiau hyn!

Dydd Mercher, Rhagfyr 4

Rhoddodd Mam ar ddeall i mi'n ddistaw bach fod y prif swyddog tân am gynnig fod Dad yn derbyn cymeradwyaeth oherwydd yr hyn ddigwyddodd yn Birmingham. Mae'n ymddangos bod Dad wedi bod yn dipyn o arwr, ond mi fyddai rhywun yn meddwl, o wrando arno fo, na wnaeth o ddim byd o gwbwl.

Anfonodd Frank lythyr i ddweud na chaiff ei ryddhau o'i waith dros y Nadolig, ond y gall dreulio'r penwythnos nesaf ond un efo ni. Hwrê! Mi fydd ganddon ni esgus dros ddathlu'r Nadolig *ddwywaith*, felly.

Dydd Gwener, Rhagfyr 6

Mi fûm i'n crwydro o gwmpas siop Chiesman's ddoe. Does gen i ddim syniad beth i'w brynu i neb ar gyfer y Nadolig, yn bennaf am nad oes gen i ddigon o arian i brynu dim byd o werth.

Fel mae pethau yn Lloegr ar hyn o bryd, mae rhywun yn gyndyn o wario ar bethau diangen, p'un bynnag. Mae posteri ym mhobman yn eich rhybuddio chi rhag gwario'n ofer, ac yn gwneud i chi deimlo'n euog os nad ydach chi'n rhoi'ch arian at brynu awyren fomio newydd, neu ei roi'n y banc fel y gall y llywodraeth ei ddefnyddio.

Mi welais i set casglwr-tocynnau-bws, un wyrdd ddigon o ryfeddod, yn yr adran deganau. Ddwy flynedd yn ôl, byddai Tom wedi bod wrth ei fodd efo hi, ond mae o wedi tyfu i fyny'n rhy gyflym. P'un bynnag, mae chwe swllt ond ceiniog yn ormod i mi. Mae hyd yn oed pêl droed newydd yn costio tri swllt a chwe cheiniog, ac alla i ddim fforddio hynny.

Os gall Shirl gael y gwlân i mi, mae gen i ddigon o amser yn weddill i wau rhywbeth cynnes i Mam, ac mi geisia i ddwyn pwysau ar yr hen Lineham i weld os y galla i gael ychydig o hoff faco cetyn Dad ganddo fo. Mae Mam wedi rhoi caniatâd i mi wneud *collage* o luniau'r teulu i Frank. Rydw i am eu gludio a'u fframio fel bod ganddo rywbeth i'w roi wrth ochr ei wely i'w atgoffa ohonon ni.

Dydd Iau, Rhagfyr 12

Mae Mr Lineham yn hen greadur od. Pan soniais i wrtho am y baco ddoe, dyna fo'n tapio'i drwyn efo'i fys ac yn dweud, 'Dim problem, Edie fach. Fe wnawn ni'n siŵr fod Mr Benson yn iawn dros y Nadolig, chi a fi. Mae dyn fel Mr Benson yn haeddu parch a chydnabyddiaeth.' Yna fe drodd ata i a gofyn, fel petai'r syniad newydd ei daro, 'A be ydach chi am ei roi i Thomas bach?'

Codi f'ysgwyddau wnes i, a dweud yn onest na wyddwn i ddim faint allwn i ei fforddio. Cyn pen dim, roedd o wedi mynd i nôl ychydig o filwyr plwm o gefn y siop, tebyg i'r rhai fu i Tom eu bachu, eu lapio mewn papur sidan, eu gosod yn ofalus mewn hen focs esgidiau, a'i roi i mi.

Gan na wyddwn i beth i'w ddweud, wnes i ddim ond cecian 'diolch' annigonol.

'Tewch â sôn,' meddai. 'Rydach chi'n enath beniog, ac yn weithreg dda. Dim ond rhywbeth bach i ddangos fy ngwerthfawrogiad i.'

Wel, wir, dyna beth oedd rhyfeddod!

Dydd Sadwrn, Rhagfyr 14

Mae Frank gartref! Ac yn edrych yn arbennig o dda. Mi fedrwn i daeru ei fod wedi cael lliw haul, er ei bod hi'n fis Rhagfyr a phawb bron â rhewi. Mae'n rhaid fod yr holl awyr iach 'na'n gwneud lles iddo. Wrthi'n cael ein te yr oedden ni pan ddwedodd ei fod am wneud cais i gael ei hyfforddi i fod yn beilot. Mi ddigwyddais edrych ar Mam, ac roedd golwg bryderus iawn arni. Dyna Dad yn gofyn yn dawel os oedd o'n credu fod ganddo rywfaint o siawns, a Frank yn ateb ei fod yn credu fod ganddo bob siawns gan fod yr Awyrlu wedi cael cymaint o golledion yn ystod y *Battle of Britain*. Dweud yr oedd o, er mai hedfan ydi'r unig beth sydd wedi bod ar ei feddwl bob dydd ers deunaw mis – wrth fwyta, yfed a chysgu – nad ydi o wedi cael *gwneud* dim o hynny.

Wn i ddim beth i'w feddwl. Ar un llaw, mi alla i weld rhamant y peth. Mae gan rai ryw syniad fod peilotiaid yn dipyn o lanciau, a'r merched i gyd yn dotio arnyn nhw. Ar y llaw arall, fe fydd Frank yn ddiogel braf ond iddo aros a'i draed yn solet ar y ddaear. Mi ddarllenais i yn rhywle mai dim ond tair wythnos o lwfans bywyd sydd ganddoch chi unwaith y byddwch chi wedi'ch hyfforddi yn beilot awyren ymladd. Does gen i ond gobeithio a gweddïo y bydd Frank un ai'n synhwyrol neu'n lwcus iawn.

Fe ddaeth â sgarff sidan hardd glas a gwyrdd i mi, un ar gyfer rhywun mewn oed, nid plentyn, ac yn wastraff, o ddifri, gan nad oes gen i ddim i'w wisgo efo fo. Dim ond gwenu arna i wnaeth Frank a dweud, 'Dy liwia di ydi rheina. Mi wyt ti'n siŵr o ddod o hyd i rwbath.' A dyna fo'n rhoi ei freichiau amdana i. Rydw i'n meddwl ei fod o wedi cael ei blesio efo'r *collage*, ac mi wn ei fod o ddifri pan ddwedodd ei fod yn meddwl amdanon ni bob dydd.

Dydd Llun, Rhagfyr 23

Ers rhai dyddiau bellach, mae Tom a finna wedi bod allan ar daith gasglu. Mae 'na barti i blant digartref yng nghanolfan y Groes Goch yn Deptford heno, ac rydan ni wedi bod yn chwilio am deganau y gallwn ni eu lapio a'u rhoi'n anrhegion Nadolig iddyn nhw. Dydan ni ddim wedi gwneud yn rhy ddrwg, ac mae Dad wedi taro ychydig o dryciau a chychod at ei gilydd o'r coed sbâr sy'n cael ei gadw yn y sièd. Maen nhw'n edrych yn iawn ar ôl cael côt o baent.

Roedd Mam gartref y prynhawn 'ma, ac fe aethon ni'n dwy ati i wneud cracer anferth o'r papur yr oedd Shirl, ryw ffordd neu'i gilydd, wedi llwyddo i gael gafael arno yn Chiesman's. Mae tua phedair troedfedd o hyd ac rydan ni wedi rhoi tipyn go lew o'r teganau llai y tu mewn. Bydd fan y Groes Goch yn dod heibio i gasglu'r cracer – a ninnau – mewn ychydig funudau!

Mi wn i eu bod nhw wedi addurno'r neuadd fel bod golwg eitha Nadoligaidd arni, er bod y lle'n dal i ogleuo ryw gymaint. Fe gawn ni beth canu a dawnsio, ac rydw i'n credu fod ganddyn nhw un o ffilmiau Charlie Chaplin a chartwnau i gadw'r plant yn ddiddig. Efallai na fydd y te Nadolig mor anfarwol â hynny, ond rydw i'n meddwl eu bod nhw wedi llwyddo i wneud rhyw fath o deisen. Pan gaiff y plant afael arni, ac mae yna tua 40 ohonyn nhw, mi fetia i na fydd iddi bara'n hir! Nadolig Llawen, Deptford!

Dydd Mercher, Rhagfyr 25

Neithiwr, fe aethon ni i'r gwasanaeth hanner nos yn Sant Mathew. Fel yr oedden ni'n cerdded i lawr am yr eglwys roedd yr aer yn oer ac yn iach, a'r awyr yn glir ac yn serennog. Er bod golau'r lleuad yn ei gwneud hi'n noson ddelfrydol ar gyfer cyrch awyr, roedd pob man yn dawel. Mae hyd yn oed yr Almaenwyr yn dathlu'r Nadolig! Wrth i mi glywed y clychau'n canu a'r ficer yn sôn am 'Heddwch ar y ddaear, a thangnefedd i ddynion', roedd hi'n rhyfedd iawn meddwl fod pobl yn yr Almaen yn gwneud yr un peth yn union.

Os ydyn nhw'n honni bod yn Gristnogion fel ni, pam maen nhw wedi bod yn gollwng bomiau arnon ni ers misoedd? Mi feddyliais am bopeth yr ydan ni wedi bod trwyddo, a dweud 'diolch' wrth bwy bynnag sydd i fyny acw ein bod ni'n dal yn rhif 47, ac nid yn ddigartref fel y plant yna'n Deptford. Ac mi wnes i un dymuniad arbennig, y byddai Hitler yn cael y neges, yn bodloni ar yr hyn sydd ganddo, ac yn gadael llonydd i ni.

Cyn i ni ganu '*Hark the Herald Angels Sing*', fe dynnodd y ficer sylw at y ffaith mai alaw Almaenig ydi hi, a bod yn rhaid i ni weddïo y daw heddwch a chyfiawnder yn fuan. Wrth i mi edrych o gwmpas yr eglwys, mi fedrwn weld nad oedd pawb yn canu. Nid Mam a fi oedd yr unig rai â dagrau yn eu llygaid.

Dydd Llun, Rhagfyr 30

Mae Ewythr Bob yn cadw tafarn y Lord Wellington yn Stryd Webber, wrth ymyl Pont Llundain. Brawd mawr Dad ydi Bob a fyddwn ni ddim yn ei weld mor aml â hynny. Fe ymunodd â'r Gwasanaeth Tân Cynorthwyol ar ddechrau'r rhyfel. Wedi gweld sut roedd y gwynt yn chwythu yr oedd o, meddai Dad, ac yn meddwl, pe bai'n cael ei alw i'r fyddin, na allai Modryb Doris fyth redeg y dafarn ar ei phen ei hun. Fel hyn, mae Ewythr Bob yn gallu cadw llygad ar bethau. Mae Dad a Bob yn deall ei gilydd i'r dim, ond perthynas ddigon od sydd yna ar y cyfan rhwng y dynion tân llawn amser a'r rhai rhan amser, fel petai'r gweithwyr rheolaidd yn meddwl fod y lleill yn israddol rywsut.

P'un bynnag, i ffwrdd â ni ar y bws ddoe i dreulio'r diwrnod efo nhw. Does yna'r un cyrch awyr wedi bod ers sbel, ac fe aethon ni â'n dillad nos a'n brwsys dannedd i'n canlyn, gan fwriadu aros yno.

Mae'r ddau yn hwyliog iawn, a'r naill fel y llall yn llond ei groen. Mae Ewythr Bob yn gwisgo tei bô bob amser, un â sbotiau arno gan amlaf, ac fe all rhywun ddweud, dim ond wrth *edrych* ar Modryb Doris, sy'n fronnau ac yn ben-ôl i gyd, mai gweithio y tu ôl i far mae hi. Ewythr Bob ydi'r *unig* un y gwn i amdano sy'n galw Dad yn 'Albert'.

Roedden ni wedi cael diwrnod gwerth chweil yn siarad ac yn chwarae gêmau bwrdd (Tom a finna yn bennaf). Mae'r ystafell fyw uwchben y dafarn, ac yn digon pell o sŵn clebran y bar. Ond yna fe gawson ni'n dal yn annisgwyl pan ganodd y seiren ryw hanner awr wedi'r blacowt. Edrychodd Dad a Bob ar ei gilydd, a rhoi eu gwydrau Guinness o'r neilltu cyn gadael i wneud yr hyn oedd raid.

Mae Bob a Doris wedi cael hwyl ar ail-wneud y seler, a dydw i ddim yn credu fod yna lawer o fannau diogelach yn Llundain i gyd, ond fe fuon ni i lawr yno am oriau ar oriau ac roedden ni wedi hen ddiflasu erbyn i'r caniad diogelwch seinio. Fe glywson ni, neu deimlo yn hytrach, ambell ffrwydrad pell, ond doedd ganddon ni ddim syniad beth oedd wedi bod yn digwydd o ddifri. Mae'n rhaid fod waliau'r *Lord Wellington* yn drwchus iawn.

Pan aethon ni i fyny'r grisiau tua hanner nos, croesodd Doris at y ffenestr, ac fe allen ni ei chlywed hi'n sibrwd, 'Duw a'n helpo ni!'

Fe allwch chi weld y Ddinas yr ochr draw i'r rheilffordd ac afon Tafwys drwy ffenestri pictiwr y lolfa. Yn y canol union, mae eglwys gadeiriol Sant Paul, wedi'i hamgylchynu â'r holl adeiladau mawrion sy'n perthyn i'r papurau newydd a'r banciau. Mae hi'n olygfa mor ardderchog fel bod rhywun yn teimlo y dylai fod yn talu am gael edrych arni.

Ond rŵan, roedd golau'r tanau a ymledai'n wyllt ar draws y ddinas hardd cyn gryfed â'r trydan a fu'n goleuo lolfa Bob a Doris. Roedd cregyn gweigion o leiaf ddwy o eglwysi Syr Christopher Wren yn sefyll allan yn glir yn erbyn y ffurfafen ddu, wedi eu goleuo o'r tu mewn fel ffaglau wrth i'r fflamau ddifa 300 mlynedd o hanes. Hyd yn oed o'r pellter hwnnw fe allech chi weld gwreichion yn tasgu i'r awyr, gan mor bwerus oedd nerth y goelcerth. Roedd i'r holl banorama amlinell goch, fel machlud gwallgof. Wrth weld y fath olygfa, byddai unrhyw un yn sylweddoli maint yr arswyd sy'n wynebu Dad a Bob bob tro y byddan nhw'n mynd at eu gwaith. Roedd y ddinas yn cael ei dinistrio o flaen ein llygaid gan ail Dân Mawr Llundain.

Y prynhawn 'ma, cyn i ni gychwyn am adref ac i Bob ei lusgo ei hun yn ôl i'r *Lord Wellington* (yn gleisiau drosto a'i wyneb yn ddu wedi shifft ddeuddeng awr) roedd y tanau'n dal i losgi. A does dim amheuaeth na fydd y bomwyr yn dychwelyd heno i orffen eu gwaith.

Dydd Iau, Ionawr 2 1941

Wn i ddim sut i fynd ati i ysgrifennu yn y dyddiadur 'ma heddiw. Mae 'nghalon i mor drom fel ei bod hi bron â hollti. Wna geiriau mo'r tro bellach. Ro'n i'n meddwl y gallwn i gael gwared â'r ofn a'r digalondid drwy roi hynny ar bapur. Ond mi wn i rŵan, pan ddaw hi i'r pen, fod yna rai pethau na all rhywun byth mo'u dweud.

Mae Frank wedi cael ei ladd. Fe gawson ni lythyr y bore 'ma yn dweud hynny. Yn yr un cyrchoedd awyr â'r rhai welson ni o fflat Ewythr Bob a Modryb Doris, yn ôl pob golwg.

Mae'n siŵr gen i fod yr Almaenwyr yn ceisio gwanhau gorsafoedd yr RAF er mwyn rhwystro ein hawyrennau rhyfel ni rhag hedfan. Byddai ganddyn nhw wedyn rwydd hynt i ymosod ar y ddinas. Fel petai hynny o bwys. Mae pawb yn gwybod nad ydi'n bechgyn ni'n da i ddim wedi iddi dywyllu. Fedran nhw ddim gweld yr awyrennau bomio yn ddigon clir, ar waetha'r chwiloleuadau.

P'un bynnag, yn ôl y prif swyddog, roedd rhai o awyrennau'r Almaen wedi llwyddo i gyrraedd Biggin Hill ac wedi bombardio'r llwybrau glanio. Roedd Frank a dau arall allan yno, wrthi fel lladd nadroedd yn ceisio cael yr *Hurricanes* yn barod i hedfan. Fe ffrwydrodd un o'r tanciau petrol. A dyna'i diwedd hi.

Ro'n i'n meddwl y byddai Frank yn ddiogel ond iddo aros ar y tir mawr. Ro'n i'n meddwl mai rhywbeth sy'n digwydd i deuluoedd eraill oedd marwolaeth. Ro'n i'n meddwl y byddai'r flwyddyn hon yn well na'r un ddiwethaf. Alla i ddim credu ynot ti, Dduw, os wyt ti'n cymryd bywyd un fel Frank, na wnaeth o erioed yr un niwed i neb. Dydi hyn ddim yn deg. Mae'r peth mor ddychrynllyd fel fy mod i'n fy nghael fy hun yn meddwl weithiau nad oes dim byd wedi digwydd. Sut ar y ddaear y gallwn ni byth ddod dros hyn?

Dydd Sadwrn, Ionawr 4

Bu'n rhaid i Mam fynd at yr ymgymerwyr y bore 'ma i wneud trefniadau ar gyfer yr angladd. Mi es i efo hi. Roedd yr oerni'n brathu a'r awyr lwyd yn galed fel dur, ac er ein bod ni'n gwisgo trwch o ddillad a sgarffiau a menig, roedd ein cyrff ni mor ddiffrwyth â'n meddyliau.

Mae 'na dipyn o waith cerdded i fyny i New Cross, ac ar y ffordd yn ôl, wn i ddim pam, fe aethon ni i grwydro i lawr drwy Crofton Park. Fel yr oedden ni'n cerdded ar hyd rhes o dai teras, dyna wraig a'i gwallt mewn cyrlars yn rhuthro allan o'i thŷ.

'Mae'n rhaid i chi helpu,' meddai. 'Mae hi wedi dechra. Wn i ddim be i 'neud. Fedra i ddim credu'r peth. Sut y galla hi fod wedi dechra rŵan a hitha â mis arall i fynd?'

Fe lwyddodd Mam i'w thawelu hi, ac i mewn â ni. Roedd y tŷ mewn cyflwr dychrynllyd. Go brin ei fod wedi cael ei lanhau ers dydd Sul pys. Ar y soffa yn yr ystafell ffrynt roedd geneth nad oedd hi'n edrych fawr hŷn na fi, yn tuchan ac yn sgrechian ar yn ail. Dydw i erioed wedi gweld neb yn geni babi, ond mi wyddwn mai dyna oedd yn digwydd, heb i neb ddweud wrtha i.

A' i ddim i fanylu. Roedd y cyfan drosodd mewn tua hanner awr. Wyddwn i ddim y gallai ddigwydd mor sydyn â hynna! Fe gyrhaeddodd y doctor yn rhy hwyr i weld dyfodiad bachgen bach tlws i'r byd. Wel, un mor hyll â phrwnsen wedi crebachu, a dweud y gwir, ond pwy fyddai'n dweud hynny wrth fam a nain newydd sbon?

Fe wnaeth y geni i mi feddwl am farwolaeth, ac am y tro cyntaf ers i ni dderbyn y llythyr hwnnw dridiau ynghynt doedd gen i ddim gobaith o allu atal y dagrau oedd yn llifo a llifo'n ddibaid. Cyn pen dim, ro'n i'n crynu drostaf, ac allwn i ddim fod wedi yngan gair hyd oed petai yna rywbeth i'w ddweud.

Dydd Gwener, Ebrill 18

Mi wn i fy mod i ar fai yn esgeuluso'r dyddiadur 'ma, ond allwn i'n fy myw fagu nerth yn yr wythnosau ar ôl angladd Frank, na gweld pwrpas mewn fawr ddim a dweud y gwir. Mae'r bobl adawodd Lewisham yn ystod y gaeaf diwethaf yn dychwelyd fesul tipyn, ac rydw i wedi dechrau mynd i ysgol sy'n cael ei chynnal (yn y boreau'n unig) wrth ymyl Lee Green. Mae'n debyg fy mod i, rhwng hynny a phopeth arall, wedi llwyddo i lenwi amser yn eitha da.

Hyd at ddydd Mercher, roedd bywyd wedi bod yr hyn sy'n cael ei ystyried yn normal ar hyn o bryd. Ar y cyfan, mae pethau wedi bod yn dawel ers rhai wythnosau. Er bod y seirenau i'w clywed yn eitha rheolaidd, prin ydi'r difrod o'i gymharu â'r cyfnod cyn y Nadolig.

Ddydd Mercher, fe gawson ni rybudd cyrch awyr tua wyth o'r gloch fin nos, ac i ffwrdd â ni i'r Anderson fel arfer. Mae hi'n iawn yno rŵan. Mae ganddon ni olau trydan hyd yn oed, ond rhaid bod yn ofalus rhag baglu dros y gwifrau.

Nid yn aml mae rhywun yn clywed grŵn yr awyrennau fel y clywson ni o y noson honno. Roedd o'n anarferol o isel a dwys. Yna, yn gwbwl ddirybudd, dyna ddau ffrwydrad anferth. Roedd yr Anderson a'r tir o gwmpas fel pe baen nhw wedi plygu a newid eu ffurf eiliadau cyn i ni deimlo'r sgwd o sŵn dwfn yn ein hamgylchynu ac yn cau amdanon ni. Tasgodd pridd i bobman, diffoddodd y goleuadau, ac yna clywyd sŵn coed a gwydr yn torri'n deilchion. Am un munud dychrynllyd ro'n i'n meddwl yn siŵr ein bod ni'n mynd i gael ein claddu'n fyw.

Roedd Dad ar ddyletswydd, a Mam yno efo ni. Yn y tawelwch bygythiol a ddilynodd y ffrwydradau, gofynnodd yn bryderus, 'Ydi pawb yn iawn?' ac fe ddwedon ninnau ein bod ni, er ein bod ni i gyd yn crynu.

'Be 'nawn ni, Mam?' gwichiodd Tom mewn panig.

'Aros lle'r ydan ni,' meddai hi. 'Pwy ŵyr a ydi'r Jeris wedi gorffen ai peidio? Nes ein bod ni'n gwybod hynny, rydan ni'n fwy diogel yma.'

Fel mae'n digwydd, fe ganodd y seiren ddiogelwch yn fuan wedyn, ond wedi i ni gropian allan o'r lloches ac edrych yn ôl i gyferiad y tŷ, doedd rhif 47 ddim yno bellach, na thŷ Bessie Andrews y drws nesaf chwaith. Fel yr oedden ni'n sefyll yno, fe allen ni glywed clychau'r injan dân i lawr y ffordd, ac erbyn i ni ymlwybro yn syfrdan dros y rwbel i'r stryd roedd yr injan (a Dad yn glynu fel y gelen wrthi) yn gwau ei ffordd rhwng y brics tuag at y fan lle bu'r giât ffrynt. Rhedodd Mam i fyny at yr injan. Gafaelodd Dad a hithau'n dynn am ei gilydd, tra oedden ni'r plant yn eu gwylio, heb wybod beth i'w wneud.

Yng ngoleuni oer y wawr, doedd yna ddim ond rhagor o newyddion drwg. Mae'n rhaid fod Bessie yn y tŷ pan laniodd y bom. Yr unig gysur ydi na fyddai hi wedi gwybod dim am y peth. Roedden ni wedi methu'n lân â'i pherswadio hi un ai i adael i'r cyngor osod lloches iddi, neu rannu efo ni.

Pan gawsom wybod fod y lle'n ddiogel, fe fuon ni'n crwydro o gwmpas yn chwilio a chwalu drwy weddillion ein hen fywyd. Mae'n beth od sut y mae'r bom wedi dinistrio rhai pethau'n llwyr, a heb wneud fawr o ddifrod i bethau eraill. Dyna i chi'r gegin, er enghraifft. Mae'r dodrefn oedd yno fel pe baen nhw wedi diflannu, ond mi ddois o hyd i gwpan a soser oedd wedi'u gorchuddio â llwch ond ar wahân i hynny heb na chrac na chrafiad.

A beth am fy nyddiadur i? Erbyn y flwyddyn newydd roedd o wedi llenwi tri llyfr ysgrifennu. Ro'n i'n eu cadw mewn tun bisgedi sgwâr yn fy llofft. Wrth i mi grwydro o gwmpas ar y brics a'r darnau coed, bu ond y dim i mi â baglu dros y tun, wedi'i dolcio ond yn gyfan.

Mae hyn yn wyrth! Wn i ddim pam, ond gan ei fod wedi ei arbed, fel ninnau, mae'n amlwg mai fel hyn oedd hi i fod. Wedi i mi ysgrifennu'r cofnod olaf hwn, rydw i am fynd â'r dyddiadur i 'nghanlyn i bob man fel ei fod yn dod â lwc da i ni ym mha beth bynnag ddaw. Efallai y byddwn ni ei angen!

Ôl-Nodyn
Ebrill 1946

Bum mlynedd yn ddiweddarch, rydw i wedi bod yn ailddarllen yr hyn ysgrifennais i yn ystod yr hydref a'r gaeaf erchyll hwnnw, cyfnod sydd bellach yn ymddangos mor bell yn ôl.

Pan chwalwyd ein cartref ni yn Ffordd Summerfield, ni fu'n rhaid i ni symud i fyw i Ganolfan y Groes Goch, fel yr o'n i wedi ofni. Roedden ni'n fwy lwcus na'r mwyafrif. Fe edrychodd ffrindiau Dad yn yr Orsaf Dân ar ein holau ni, ac er i ni orfod treulio blwyddyn yn sathru traed ein gilydd mewn fflat bach cyfyng, o leiaf ni fu'n rhaid i ni adael Lewisham.

Symudodd Shirl ar ei hunion i fyw efo Margaret, ffrind iddi o Chiesman's. Er bod hynny'n beth call i'w wneud, roedd o'n dipyn o sioc i mi ar y pryd. Newidiodd ei henw i Mrs Goodfellow fis Hydref diwethaf, ac mae Christopher, ei gŵr, yn gweithio i gwmni Wray's yn Downham. Maen nhw'n cynhyrchu lensys camerâu ar gyfer yr awyrennau sy'n tynnu lluniau o'r wlad. Mae Christopher yn alluog iawn, ac yn amlwg yn meddwl y byd o Shirl.

Mae Maureen yn dal efo'r fyddin ac yn dweud fod arni flys gwneud gyrfa ohoni. Ychydig iawn welson ni arni yn ystod blynyddoedd olaf y rhyfel, ond mae hi'n hapus i bob golwg. Does ganddon ni fawr yn gyffredin, a dweud y gwir.

Mae Tom yn dalach na fi erbyn hyn ac yn dal i dyfu'n gyflym. Wn i ddim tynnu ar ôl pwy mae o. Cafodd waith yn Vickers, i lawr yr afon gerllaw Erith. Er ei bod hi'n dipyn o daith ar y bws, rydw i'n credu ei fod yn mwynhau cael bod yn annibynnol. Dydw i ddim yn meddwl y bydd o'n aros gartref yn hir iawn eto. Gorau oll, hefyd: mae'n cymryd gormod o le! Ond mae o'n fachgen clên, ac yn fy atgoffa i o Frank weithiau.

Fe adawodd y rhyfel ei ôl ar Dad. Roedd yr holl flynyddoedd o anadlu mwg a huddygl wedi effeithio ar ei frest, a chafodd ei ryddhau o'r Gwasanaeth Tân oherwydd hynny. Y dyddiau hyn, mae hyd yn oed garddio'n ymdrech iddo. Does 'na ddim synnwyr yn y peth, ac yntau'n ddim ond 51 oed. Derbyniodd y George Medal am ei waith yn Birmingham, anrhydedd na fu ond i ychydig iawn o ddynion tân Llundain ei hennill yn ystod y rhyfel. Hyd heddiw, dydi o erioed wedi manylu ar yr hyn ddigwyddodd. Cafodd gyfle i gyfarfod y brenin am yr ail dro, a'i atgoffa mai sôn am y tywydd y buon nhw'r tro cynt.

'Ie, wir?' meddai Ei Fawrhydi. 'A sut oedd hi'r diwrnod hwnnw, felly?'

Mae Mam yn mynd o nerth i nerth a Dad yn dweud nad oes dim dal yn ôl arni. Mewn rhyw ffordd ryfedd, rhoddodd y rhyfel gyfle newydd i Mam. Petai'r rhyfel heb fod, efallai y byddai wedi treulio'r deng mlynedd nesaf fel gwraig tŷ, yn gofalu amdanon ni'r plant, yn coginio a glanhau. Ond profodd yn ystod ei chyfnod fel warden pa mor dda ydi hi am drefnu a chael y gorau allan o bobl. Mae hi'n gweithio i Gyngor Lewisham ar hyn o bryd, ac ar ei hail swydd newydd mewn blwyddyn.

Mae Chamberlain yn dal i fyw efo ni yn ein cartref newydd oddi ar Ffordd Lee High. Ar ôl yr holl fomio, mae'n nerfau i gyd, a dydw i ddim yn credu y bydd o byth yn hollol iawn eto. Ond rydw i mor falch na fu i ni ei roi i gysgu, er i ni ystyried hynny o ddifri yn ystod y Blits. Mae o'n llawer rhy werthfawr.

A fi? Rydw i â 'mhen mewn llyfrau drwy'r amser ar hyn o bryd. Rydw i eisiau mynd i'r brifysgol i astudio hanes, a gwleidyddiaeth efallai. Mae'r Ail Ryfel Byd y bu i ni fyw trwyddo wedi gadael y rhan fwyaf o Ewrop yn adfeilion. Rhaid i ni ei ailadeiladu, a'i wneud yn well lle i fyw ynddo. A rywfodd rhaid i ni sicrhau na fydd yna byth drydydd rhyfel, oherwydd fe wyddom bellach, os digwydd hynny, na fydd yr un dyddiadur na'r un bod dynol yn debygol o'i oroesi.

Nodyn Hanesyddol

Daeth y Rhyfel Byd Cyntaf (neu y Rhyfel Mawr) i ben yn 1918. Yn ôl amodau Cytundeb Versailles yn 1919, cafodd yr Almaen ei gwahardd rhag ailarfogi, a'i gorfodi i dderbyn y cyfrifoldeb am yr holl ddifrod a achoswyd gan y rhyfel. Roedd balchder yr Almaen wedi ei ysigo'n arw, ond yn fwy na hynny achosodd Cytundeb Versailles gryn dipyn o galedi i'w phobl am y deng mlynedd nesaf.

I bob golwg, roedd Hitler yn un a allai adfer ei balchder i'r Almaen, a phan ddaeth i rym yn ystod y 1930au addawodd ei gwneud yn gyfoethog unwaith eto. Roedd ei Blaid Sosialaidd Genedlaethol, y Natsïaid, â'u bryd ar wneud yr Almaen yn wlad bwerus. Nid oedd moesoldeb y dulliau a ddefnyddiwyd i sicrhau hyn yn poeni rhyw lawer arnynt.

Ym Mhrydain, gwyliodd llywodraethau y 1930au yr hyn oedd yn digwydd yn yr Almaen â phryder. Ar y cyfan, credent y byddai Almaen gref yn arwain at Ewrop fwy diogel. Er eu bod yn edmygu ymroddiad yr Almaenwyr a'u technoleg, doedden nhw ddim *eisiau* gweld y trais yr oedd Hitler yn rhoi ffrwyn iddo. Felly sefyll o'r neilltu wnaethon nhw tra oedd yr Almaen yn ailarfogi ac yn ffurfio awyrlu pwerus, ac yna'n goresgyn Awstria a Tsiecoslofacia. Daeth hyn i gael ei adnabod fel y polisi 'dyhuddo' (*appeasement policy*).

Sylweddolwyd yn raddol fod Hitler yn defnyddio grym eithafol, hyd yn oed ar ei dir ei hun, yn erbyn grwpiau ac amrywiol genhedloedd y wlad oedd, yn ei dŷb ef, yn creu anghydfod. Yn ddiweddarach, byddai syniadau bisâr Hitler ynglŷn ag uwchraddoldeb y genedl Almaenig yn arwain at farwolaeth miliynau o Iddewon ac eraill yn y gwersylloedd carchar.

O'r diwedd, yn 1939, penderfynodd llywodraeth Prydain, dan arweiniad y Prif Weinidog Neville Chamberlain, fod yn rhaid tynnu'r llinell yn rhywle. Rhybuddiwyd yr Almaen y byddai sefyllfa o ryfel yn bodoli rhwng Prydain a'r Almaen petai Gwlad Pwyl yn cael ei goresgyn. Ar Fedi'r cyntaf, croesodd milwyr yr Almaen y ffin i Wlad Pwyl, a deuddydd yn ddiweddarach roedd Prydain yn cyhoeddi rhyfel.

Roedd tactegau'r Almaen yn yr awyr yn hysbys erbyn hyn. Defnyddient awyrennau plymfomio er mwyn codi arswyd ar bobl gyffredin, i wanhau morâl a chreu panig, gan wneud ymgyrchoedd eu byddinoedd ar y tir yn fwy effeithiol. Felly, pan gyhoeddwyd rhyfel, disgwyliai pobl Prydain weld awyrennau'r Almaen uwchben ar unwaith, ac yn wir clywyd rhybuddion cyrch awyr yn Llundain ar y diwrnod cyntaf un. Ond ni ddaeth yr un awyren fomio. Ddim eto.

Roedd hefyd yn ddisgwyliedig y byddai'r Almaenwyr yn defnyddio nwy gwenwynig, a darparwyd mwgwd nwy i bawb, hyd yn oed y plant ieuengaf. Fel mae'n digwydd, ni ddefnyddiwyd nwy gwenwynig yn unman yn ystod yr Ail Ryfel Byd.

Nid oedd Neville Chamberlain yn mynd i allu cynnig yr arweiniad cadarn yr oedd ar Brydain ei angen, oherwydd ei fod yn cael ei ystyried yn un o'r rhai a geisiodd gymodi â Hitler. Roedd Winston Churchill wastad wedi gwrthwynebu idlio i'r Almaen. Nid oedd heb ei feiau, gan ei fod yn un penboeth ac o'r herwydd yn debygol o wneud sawl camgymeriad, ond roedd yn arweinydd mentrus ac ysbrydoledig, yn ddyn a chanddo weledigaeth a'r ddawn i siarad yn gyhoeddus. Cafodd ei ethol yn Brif Weinidog ym Mai 1940, pan oedd yr Almaen newydd oresgyn Yr Iseldiroedd a Gwlad Belg ac ar fin gorchfygu Ffrainc. Yn awr, gan fod yr Unol Daleithiau yn gyndyn o gyhoeddi rhyfel, safai Prydain ar ei phen ei hun.

Roedd ymosodiad o du'r Almaen yn ymddangos yn anorfod bellach, ac ym Mai 1940, gan fod cymaint o wŷr ifanc abl yn cael eu galw i'r lluoedd arfog, ffurfiwyd y Gwarchodlu Cartref neu'r 'Home Guard', er mwyn helpu i amddiffyn Prydain.

Ym mis Gorffennaf, dechreuodd Hitler roi ei gynlluniau ar waith. Roedd ei awyrlu, y Luftwaffe, wedi bod mor gyson lwyddiannus yn y gorffennol fel mai pur aneffeithiol fu'r gwrthsafiad yn erbyn ei weithredu milwrol ar y tir. Credai y gallai'r un peth fod yn wir y tro hwn. Yn gyntaf oll, ymosododd ar y llongau yn y Sianel gyda llwyddiant mawr, gan atal pob llong warchod rhag mynd trwy Gulfor Dover. Yna, yn ystod mis Awst, dechreuodd ymosod ar y meysydd awyr yn ne Lloegr. Bu colledion trwm mewn awyrennau a dynion ar y ddwy ochr, a phetai wedi canlyn ymlaen â'r dacteg hon gallai Hitler fod wedi dinistrio grym awyrennol Prydain yn llwyr. Ond trodd yn hytrach i ddial ar Brydain am ei chyrchoedd bomio cyntaf yn ystod y nos yn erbyn yr Almaen. Gorchymynnodd i'w awyrennau adael y meysydd awyr a chanolbwyntio ar fomio Llundain. Gobeithiai allu ennill goruchafiaeth lwyr yn yr awyr, a thorri ysbryd Prydain yn llwyr. Fel y digwyddodd hi, ni lwyddodd i gyflawni'r naill na'r llall.

O Fedi 7, 1940, bu awyrennau Hitler yn ymosod ar Lundain am 57 noson yn olynol. Cyfeiriai pobl Llundain at hyn fel y *Blitz*, o'r gair Almaeneg *Blitzkrieg*, sy'n golygu 'rhyfel gwibiog'. Ac ystyried pa mor hir y parhaodd y bomio, efallai nad oedd hwn y gair mwyaf priodol! Yn dilyn Llundain, cafodd y mwyafrif o ddinasoedd Prydain driniaeth debyg hyd at Fai 1941, a dinistriwyd rhai – gan gynnwys canol dinas Coventry – bron yn llwyr.

Difrodwyd mwy na thair miliwn a hanner o gartrefi, yn aml gan fomiau tân. Gadawyd Tŷ'r Cyffredin yn adfeilion a chafodd hyd yn oed Palas Buckingham ei ddryllio. Daeth bywyd bob dydd i ben bron yn gyfangwbl. Lladdwyd 30,000 o bobl yn ystod y Blits, eu hanner yn Llundain. Hyd at fis Medi 1941, bu Hitler yn gyfrifol am ladd mwy o'r boblogaeth sifil nag o wŷr arfog. Yn Lewisham cafwyd dros 2,000 o danau rhwng Medi 1940 a Mai 1941. Syrthiodd mwy na 20,000 o fomiau tân a 2,000 o fomiau yn llawn ffrwydron ffyrnig ar Lewisham. Lladdwyd bron i 1,000 o bobl yn yr ardal hon yn unig. Mewn geiriau eraill, cafodd un o bob hanner cant o'r rhai oedd yn byw yn y fwrdeistref adeg y rhyfel un ai ei ladd neu ei glwyfo'n enbyd.

Ond ni lwyddwyd i dorri ysbryd pobl Prydain yn Lewisham a mannau eraill, ac wedi iddo fethu cael cyfle i ymosod ym Medi 1940, ni chafodd Hitler fyth gyfle arall. Yn araf, newidiodd cwrs y frwydr yn ei erbyn, er iddi gymryd hyd at 1945 i luoedd y Cynghreiriaid gyrraedd Berlin a'r byncer lle y cyflawnodd Hitler hunanladdiad.

Efallai fod hanes Edie Benson a'i theulu yn darllen fel stori dylwyth teg, ond gallai Edie fod yn nain, neu'n fam-gu, i chi. Dydi'r pethau hyn ddim mor bell yn ôl ag y maen nhw'n ymddangos . . .

Dyddiadau

Medi 3 1939: Prydain yn cyhoeddi rhyfel ar yr Almaen.

Mai 9 1940: Winston Churchill yn cael ei ethol yn Brif Weinidog.

Mai 27 1940: Ymadawiad y milwyr Prydeinig o Dunkirk, Ffrainc.

Mehefin 22 1940: Y rhan fwyaf o Ffrainc dan oresgyniad yr Almaen.

Gorffennaf 10 1940: Y *Battle of Britain* yn dechrau.

Gorffennaf 16 1940: Hitler yn cynllunio i ymosod ar Brydain.

Awst 25 1940: Awyrennau Prydain yn bomio trefi'r Almaen, gan gynnwys Berlin.

Medi 7 1940: 'Cyrch mawr' cyntaf awyrennau bomio'r Almaen ar Lundain.

Medi 17 1940: Hitler yn rhoi'r gorau i'r bwriad o ymosod 'dros dro'.

Hydref 12 1940: Hitler yn atal ymosod dros y gaeaf.

Tachwedd 2 1940: Yr olaf o 57 o gyrchoedd awyr olynol yn ystod y nos ar Lundain.

Tachwedd 14: Ymosodiad enfawr ar Coventry yn gadael y ddinas yn adfeilion.

Tachwedd 1940 – Ebrill 1941: Cyrchoedd ar y mwyafrif o brif ddinasoedd Prydain.

Rhagfyr 29–31 1940: Cyrchoedd awyr dinistriol ar Ddinas Llundain.

Ebrill 16–19 1941: Rhai o gyrchoedd gwaethaf y rhyfel yn Lewisham.

Mai 1941: Hitler yn troi ei sylw i gyfeiriad Rwsia. Mae'r Blits ar ben.

Rhagfyr 7 1941: Awyrennau Siapan yn ymosod ar lynges America yn Pearl Harbour, ar Oahu, un o ynysoedd Hawaii. Yr Unol Daleithiau yn ymuno â'r rhyfel.

Mehefin 6 1944: Dydd-D (*D-day*). Lluoedd y Cynghreiriaid yn glanio yn Normandi.

1944 – hyd at yn gynnar yn 1945: Ymosodiadau 'bomiau ehedog' V-1 a rocedi V-2 ar Lundain.

Chwefror 14 1945: Mewn un cyrch awyr gan Brydain ar Dresden lladdwyd cynifer o'r boblogaeth sifil ag a wnaed drwy gydol Blits yr Almaen.

Mai 7 1945: Yr Almaenwyr yn ildio'n ddiamod ar bob ffrynt.

Awst 6–9 1945: Bomiau atomig yn cael eu gollwng ar Hiroshima a Nagasaki. Y byd ar drothwy'r oes niwclear.

Medi 2 1945: Dathliadau swyddogol y fuddugoliaeth ar Siapan.

Yn ystod y rhyfel defnyddiodd llawer iawn o bobl Llundain y gorsafoedd tanddearol fel llochesi cyrch awyr. Tynnwyd y llun hwn yng ngorsaf Piccadilly Circus.

Symudwyd nifer helaeth o blant allan o Lundain yn ystod y Blits. Anfonwyd rhai at berthnasau oedd yn byw mewn ardaloedd mwy diogel, ond cafodd llawer ohonynt eu hanfon at ddieithriaid llwyr.

Milwyr, aelodau o'r Corfflu Amddiffyn Gwladol, a'r boblogaeth sifil yn chwilio am rai sy'n dal yn fyw yng nghanol adfeilion ysgol a ddinistriwyd gan fom.

Ymwelodd y Brenin Siôr VI a'r Frenhines Elisabeth â sawl man oedd wedi ei fomio yn ystod y rhyfel.

Criw Achub Llundain yn tynnu un o’r rhai a glwyfwyd allan o’r rhwbel.

Dynion tân yn Ninas Llundain, Rhagfyr 1940.

Un o bosteri recriwtio'r Gwasanaeth Milwrol Cenedlaethol.

Roedd yn rhaid i wardeniaid yr ARP batrolio'r strydoedd a throsglwyddo gwybodaeth ynglŷn â maint y difrod a nifer y rhai a glwyfwyd. Disgwylid iddynt roi cymorth cyntaf a helpu'r timau achub. Roeddynt hefyd yn gorfod gwneud yn siŵr fod y rheolau a oedd mewn grym yn ystod y rhyfel, gan gynnwys y blacowt, yn cael eu cadw.

Llochesau Anderson yn cael eu danfon i stryd yn Islington. Deuai'r llochesau mewn darnau a byddai'n rhaid i berchennog y tŷ eu rhoi at ei gilydd.

Cydnabyddiaethau'r lluniau:

t. 151, 152, 153, 154, 155, 157 Popperfoto
t. 156 Mary Evans Picture Library/Explorer Archives.